JN065465

寺本康之の
小論文バイブル

2026

寺本康之 著

エクシア出版

はじめに

　こんにちは。寺本です。今回は『小論文バイブル2026』を執筆する機会をいただきました。昨今の試験改革は目覚ましく、一次試験はSPI3一色となっていますが、そんな中でも小論文はまだまだ必要とするところが大多数です。公務員の世界では文書を作る仕事が多いため、さすがに小論文を試験からなくすわけにはいかないと考えているのでしょうか…。

　さて、それはそうと、本書は小論文で大切な「構成」と「内容」を一気に攻略できる稀有な対策本です。「小論文は内容が大切！」とはいうものの、「構成」次第で「内容」の良し悪しが決まってきます。いわばこの2つは車の両輪のような関係になっているわけです。本書で学習することで「内容」はさることながら、「構成」もしっかりと身につきますので、あっという間に合格レベルに到達することができます。そして、今回の改訂では以下の3つを特に意識しました。

①答案の書き直し
②旬なテーマを追加
③特別区対策を追加

　特に、③は受験生からのニーズが多かったため、その期待に応えてみました。ですから、ぜひ本書を読んで小論文を得意にしてくださいね（プレッシャーをかける）。

　最後に。今回も編集の田中さんをはじめ、エクシア出版のスタッフの皆様の手厚いサポートを受けながら最後まで書きあげることができました。私の負担を極限まで減らすよう配慮してくれていたことが伝わり、その姿に心強さを覚えました。この場を借りて深謝申し上げます。

寺本康之

目　次

第 2 章　レベルアップのために押さえたい「16 のコツ」

第 3 章　「資料読み取り型」「特別区Ⅰ類」もハンバーガー構成で OK

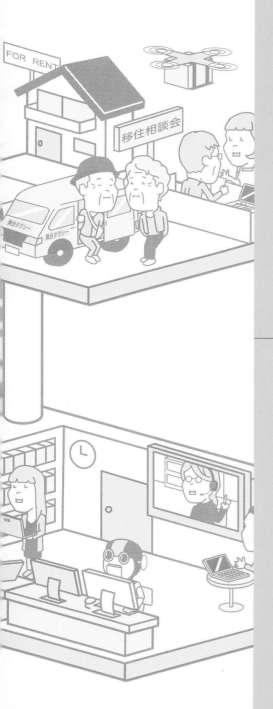

プロローグ

小学 5 年生に 10 秒で伝わる
「ハンバーガー構成」

01

構成は、文章を論理的に見せる「技術」

　小論文を書く上で一番重要なことは何でしょうか？　それは、**構成をしっかりと考えて、それを実際に答案に示すこと**です。「構成が大切なことくらい知っているよ」と思った人も多いでしょう。しかし、実際にこれができている人はあまり多くありません。

　したがって、まずは構成をしっかりと考えるくせをつけましょう。構成がしっかりしていると文章が論理的に見えます。場合によっては、**内容が多少ショボくてもそれなりに上手く見えます**。要は文章を論理的に見せる「技術」が構成だと思ってください。

　では、実際の構成はどのようにしたらいいのでしょうか？　この点については、私は**構成の型を固定すること**をおススメしています。たくさんの型があり得ますし、出題の方向性を見てその都度臨機応変に対応することがベストですが、不安も残りますよね？

　そこで、本書では一番シンプルな構成の型を１つ示しますので、まずは、それを色々な問題で適宜使い回せるようになってもらいたいと思います。

　では、早速ですが、本書で扱う構成の「型」を見てみましょう。

欧米の英文ライティングの手法で、「パラグラフ・ライティング」という考え方があります。「パラグラフ（段落）をハンバーガーに見立てた構成で書きましょう」と説明されることから、「ハンバーガー・ライティング」と呼ばれることもあります。今回は、このハンバーガーの図を公務員試験の小論文に応用してみたいと思います。

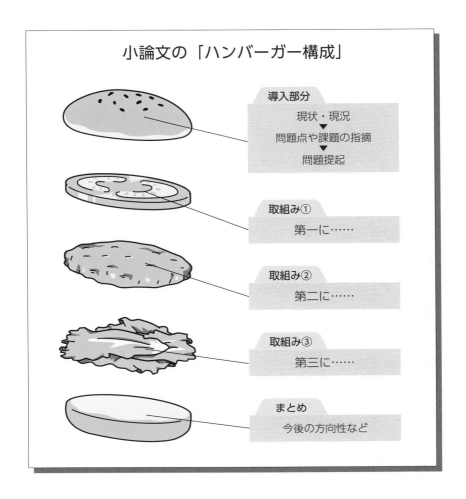

小論文の「ハンバーガー構成」

導入部分
現状・現況
▼
問題点や課題の指摘
▼
問題提起

取組み①
第一に……

取組み②
第二に……

取組み③
第三に……

まとめ
今後の方向性など

これが本書で一貫して使っていく構成の型です。本当にこれだけです（笑）。超シンプルですよね。

　この構成のいいところは、論理的であるという点にあります。「論理的？」と思った人はちょっと考えてみましょう。

　例えば、「少子化に対する取組みを述べなさい」という簡単な出題があったとします。そのとき、いきなり取組みを書き始める人はいないでしょう。取組みを書くということは、何か問題点や課題があるから、そして、問題点や課題があるということは、それはとりもなおさず現状・現況がマズイから、です。

　どうでしょう？　このように逆算して考えていけばこの構成の型しかないでしょう（笑）。

　また、小論文というからにはどこかに問題提起を入れたいのですが、この型であれば無理なく問題提起を入れることができます。

　さらに、「第一に」「第二に」「第三に」と結論先出型の主張構成にしておけば、自分の考えを述べている部分、つまり、主張が３つだということが一瞬にしてわかります。

　私はよく講義内で「構成は小学５年生に10秒で伝わるようにしてください」とジョークで言います。でもこれなら「この人は３つの主張をしている」と即断できるのではないでしょうか？　忙しい業務の合間を縫って膨大な数の答案に目を通さなければならない採点官の立場で考えると、主張がいくつあるのかわからない、あるいは筋の見えない答案はなるべく避けるべきです。

ですから、**わかりやすい、シンプルな構成が合格答案の必須条件**となるわけです。

もちろん、構成の型は１つではないよ。ここで示したもの以外にも素晴らしい型はたくさんあるので、さらにレベルアップを目指す人は、本書の構成の型をたたき台にして、次のステップへ進んでみよう。

02
ハンバーガーなら、アレンジも簡単

....

　ハンバーガー構成のもう一つの大きなメリットは、**メニューを簡単に増やせる**という点です。具材の「パテ（ハンバーグ）」は、チーズバーガーやＢＬＴバーガーにも応用できますよね。つまり、1つの具材は複数のメニューで使える、というわけです。

　この具材にあたる部分が、ハンバーガー構成の「取組み」です。**「取組み」とは、課題に対して行政で行われている政策や、それをもとにした自分の考えを述べる段落**、いわば小論文の主軸です。この「取組み」は、**同じテーマの出題はもちろん、つながりのあるテーマにも、段落ごと、あるいは一文そのまま丸ごと応用できる**ものが多くあります。

　例えば、次のような「少子高齢化の取組みについて論じなさい」という出題であれば、皆さんが用意した「少子化」の取組みと「高齢化」の取組みを適宜組み合わせればＯＫです。

例題 少子高齢化の取組みについて論じなさい。

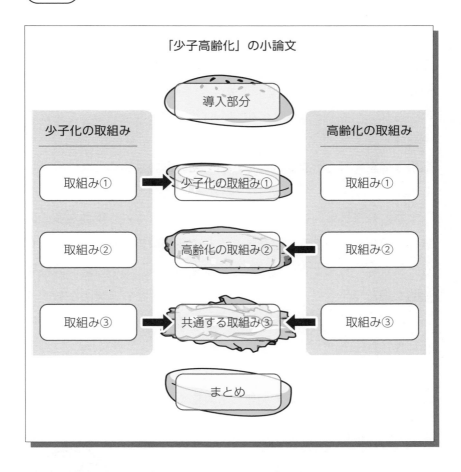

「少子高齢化」の小論文

導入部分

少子化の取組み　　　　　　　　　　　高齢化の取組み

取組み①　→　少子化の取組み①　　取組み①

取組み②　　高齢化の取組み②　←　取組み②

取組み③　→　共通する取組み③　←　取組み③

まとめ

　ハンバーガー構成では、具材をたくさん用意しておくことが大切です。できるだけたくさんの具材、つまり「取組み」を用意しておいて、あとは問題に応じて組み合わせていけばいいのです。

　また、**取組みは、一段落にまとめておくことが大切**です。なぜなら、

取組みを一段落にしておけば、それを問題に応じて臨機応変に組み合わせて小論文を書き上げることが可能となるからです。

　本書では、それぞれのテーマにつき、基本的に「第一に……」「第二に……」「第三に……」という３つの取組みで書き上げています。問題によっては取組みが２つしかないものもありますが、皆さんは、これを一つひとつ覚える中で、自然と取組みを意識して小論文を勉強することができます。本書の学習で皆さんがするべきことは、取組みを覚えて、それを問題に応じて組み合わせることが中心になります。

　また、合格答案例を見るとわかりますが、なるべく字数を多めに書いています。つまり、字数をなるべく多めに用意しておき、それらを組み合わせたときに「字数が足りない……」という最悪の結果を防ぐ趣旨です。そのために、一つひとつの合格答案例の字数は多めに設定してあります（ただし、改訂する中でシンプルなものも増やしました）。

　皆さんは本書を読み、一度、ハンバーガー構成で学ぶうまみを覚えれば、どんなパターンの問題にも対応できるようになります（言い過ぎかな？）。応用力もつくでしょう。

第１章の合格答案例では、 ここでも使える！ というアイコンで、取組みのリンク先（応用先）を示しているよ。取組みがどんなテーマに使えるのか、チェックしながら読んでみよう！

03
習うより、
真似して慣れろ

　多くの公務員試験受験生を見てきた経験から、私が皆さんに伝えたいことは、小論文は「ノウハウだけを先行して覚えても、決して書けるようにはならない」ということです。というのも、ノウハウは訓練の後におまけのようにくっついてくるものだからです。また、「とりあえず書け」というような乱暴な指導も大嘘です。

　大切なのは、合格レベルの答案の質を知り、その型の真似をすることです。つまり、まずは上手な答案を真似ることから始めるべきなのです。言語を学ぶ時に置き換えてみると、わかりやすいかもしれませんね。文法だけを先に覚えても、書いたり話したりできるようにならないのと同じです。真似を繰り返しているうちに自然と自分なりのノウハウが身についてきます。私から言わせれば、ノウハウなんて後付けのフィクションに過ぎません。

　第1章の合格答案例は、私が書いた答案とたくさんの私の教え子（合格者）が書いた答案の「いいとこどり」で作っています。これまでに何千、何万の答案を見てきたかわかりませんが、合格者の答案の型は大体決まっています。また、書く内容も大体似ています。そ

のような**合格者のエッセンスをふんだんに盛り込んでいます**ので、「習うより、真似して慣れろ」という気持ちで、まずは合格答案例を読み込むところから、始めてみてください。

第 1 章

合格答案例、
まずは読んでみよう！

公務員試験
小論文の頻出テーマ**39**

女性・子ども・高齢者

行　政

環境・防災・暮らし

下のマップを見てみよう。どうだろう？　僕たちの生活する社会では本当にさまざまな問題が生起していることがわかるね。そして、小論文はこのマップのどこかで起こっている問題が、テーマとして出題されるんだ。これから本論を読み進めていく中で道に迷ったら、このマップに立ち戻って自分の立ち位置を再確認するようにしよう。

まちづくり

テーマ 19　防犯
テーマ 20　スマートシティ
テーマ 21　地域コミュニティ
テーマ 22　多様性（ダイバーシティ）
テーマ 23　スポーツ振興
テーマ 24　U・Iターン戦略
テーマ 25　地方創生
テーマ 26　空き家
テーマ 27　交通
テーマ 28　シェアリングエコノミー

日本のグローバル化

テーマ 34　外国人との共生
テーマ 35　観光政策

働き方

テーマ 36　DX の推進
テーマ 37　テレワーク
テーマ 38　生成 AI
テーマ 39　情報発信

女性・子ども・高齢者

テーマ 01 | 仕事と生活の調和 | 頻出度 ★★★

例題

　現在、ライフスタイルの変化や価値観の多様化などに伴い、仕事と生活の調和を実現できる職場環境の整備が求められている。このような背景を踏まえ、誰もがいきいきと働き続けられる社会の実現に向けて、ワーク・ライフ・バランスを推進していくために行政として取り組むべきことは何か、あなたの考えを述べなさい。

ここからSTART

ワーク・ライフ・バランスの定義を簡単に述べることから始めよう。最近は東京都のようにライフ・ワーク・バランスと言ったり、ワークライフインテグレーションと言ったりもするよ。後者は、仕事と生活を統合させる考え方だ。

 合 格 答 案 例 の 構 成

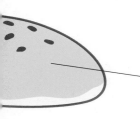

導入部分

ワーク・ライフ・バランスの定義
- やりがいのある仕事と充実した社会生活を両立させる環境を整える
    - → 多様な人材が生涯を通じて活躍できる舞台を地域に生み出していく

取組み①

企業に対する呼びかけ
- 企業向けの啓発セミナーを実施する
- 相談対応窓口を設けて随時相談にのる中で有効な取組み事例を紹介する
- ワーク・ライフ・バランスの推進に積極的に取り組む企業に対して、認定・表彰する
    - → 中小企業への配慮

取組み②

休暇を取得しやすい環境の整備
- 休暇・休業制度はあまり活用されない
    - → 原因は、事業主の知識不足や理解不足、上司・同僚への気兼ねなど
- 企業向けにマニュアルを作成し、休暇・休業を取得しやすい環境設計を後押しする

取組み③

柔軟な働き方の促進
- テレワークの導入に前向きな企業に対して、情報通信機器等の購入にかかる経費を助成する制度を設けて支援する

まとめ

働きやすい職場環境づくりに積極的な姿勢は、企業イメージの好感度アップや、それによる優秀な人材の確保につながる

ワーク・ライフ・バランスとは、仕事と生活の調和のことを意味する。これまでは働きすぎの問題や**男女間における役割の固定化**[1]からくるアンバランスを解消する動きの中で論じられることがあったが、今では一人ひとりが仕事や家庭、地域社会において多様な生き方を主体的に選択し、健全で豊かな社会を持続させていくために必要な概念となっている。そこで、ワーク・ライフ・バランスの推進を通じて、やりがいのある仕事と充実した社会生活を両立させる環境を整え、多様な人材が生涯を通じて活躍できる場を作っていかなければならない。では、このワーク・ライフ・バランスを推進していくために行政として取り組むべきことは何か。以下具体的に述べる。

　　　　第一に、企業に対する呼びかけである。というのも、ワーク・ライフ・バランスの推進には、**企業側の意識の向上と協力が不可欠**[2]であり、そこで働く社員の子育てや介護、社会参画など、生活のあらゆる場面に柔軟に対応していくことが求められるからである。そこで、行政としては、企業向けの啓発セミナーを実施したり、相談対応窓口を設けて随時相談にのる中で有効な取組み事例を紹介したりしていくことが必要となる。また、ワーク・ライフ・バランスの推進に積極的に取り組む企業に対して、認定・表彰することで、企業のイメージ向上につなげていくとよい。ただ、ここで留意すべきは、一般的に代替要員の確保が難しく人員に余裕のない中小企業への配慮である。そこで、**東京都港区**[3]のように中小企業に特化した

1 男女間における役割の固定化

固定的性別役割分担意識というやつだね。無意識の思い込み（アンコンシャス・バイアス）なんかもあるよ。

2 企業側の意識の向上と協力が不可欠

人手不足が原因で廃業・倒産する中小企業が見られるようになってきている現在、人をつなぎとめる手段としてもワーク・ライフ・バランスの推進は重要だよ。

3 東京都港区

東京都港区は、仕事と家庭の両立支援や誰もが働きやすい職場の実現に向けてワーク・ライフ・バランスに取り組んでいる中小企業を認定し、その取組みを応援している。

認定制度を設け、認定マークを付与することにより、認定企業が自社の取組みをより効果的に PR できるようにしていくとよいだろう。こうすることで、働き方改革に意欲を示す中小企業が増えることを期待できる。

第二に、休暇を取得しやすい環境の整備である。現在、働き方改革が進められ、時間外労働の上限規制が設けられたこともあり、年間総実労働時間は 1,600 時間台（2023 年度）と減少傾向にある。しかし、法律上認められている休暇・休業制度はいまだ十分に活用されているとはいいがたい。現に年次有給休暇取得率は 62％ にとどまり政府の掲げる目標である 70％ を下回っている。また、育児休業取得率についても男性は 30％ と低調のままである。一方、介護休業に至っては制度普及がほとんど進んでいない④のが現状である。休暇・休業制度があまり活用されない主な原因は、事業主の知識不足や理解不足、上司・同僚への気兼ねなどがある。そこで、行政は企業向けにマニュアルを作成し、休暇・休業を取得しやすい環境設計を後押しするべきである⑤。例えば、管理職層のマネジメント研修を行い、現場の意識に多大な影響を与える管理職層に休暇・休業制度の説明と取得意識を根付かせることが考えられる。休暇・休業取得による従業員・企業双方へのメリットを丁寧に説明していく姿勢が肝要である。

第三に、柔軟な働き方の促進である。近時、テレワークやモバイルワーク、サテライトオフィス勤務など、会社のオフィス以外の場所で働くスタイルが定着しつつある。労務管理が難しい点や生活とのメリハリがつけづらい点など、乗り越えていかなければならない課題

ここでも使える！
テーマ 03
少子化対策

ここでも使える！
テーマ 09
介護問題

④ 制度普及がほとんど進んでいない
1 年間で介護休業を取得した者がいた事業所の割合は 1.4％ にとどまっているよ。

⑤ 休暇・休業を取得しやすい環境設計を後押しするべきである
2024 年 5 月、男性の育児休業取得率の公表をより多くの企業に義務付けることなどを盛り込んだ、育児・介護休業法が成立したよ。従業員 1,000 人超から 300 人超の企業に拡大するんだ。

も多いが、これらを上手く活用すれば、生産性の向上や作業時間の短縮、移動によるストレスの軽減などにつなげていくことが可能となる。特に介護や育児、病気治療と仕事の両立が必要な労働者にとっては、テレワークがワーク・ライフ・バランスを実現するための有効な手段となる。そこで、行政としては、テレワークの導入に前向きな企業に対して、**情報通信機器等の購入にかかる経費を助成する制度を設ける**圆などして、テレワークの定着・促進を支援していくことが必要である。

 ワーク・ライフ・バランスの実現は、個人の時間の価値を高め、安心と希望を実現できる社会づくりに寄与するものである。そして、働きやすい職場環境づくりに積極的な姿勢は、企業イメージの好感度アップや、それによる優秀な人材の確保にもつながる。それゆえ、行政は内部改革を進めるとともに、企業に対して継続的に普及啓発を行っていくことが求められる。

(1691 文字)

🔗 **ここでも使える!**
テーマ 37
テレワーク

圆 情報通信機器等の購入にかかる経費を助成する制度を設ける

東京都は、テレワーク促進助成金制度を設けて、中小企業の機器の購入を後押ししている。

本書の合格答案例は、あえて字数を多めに紹介しているよ（詳しくは 14 ページ参照）。

ここがPOINT

ワーク・ライフ・バランスは、企業の協力がなければ
実現できない課題なので、対企業、特に人員に余裕の
ない対中小企業の視点が重要。今回は、具体例として
東京都港区の事例を入れているけれど、自分の受験先
の政策が書ければさらに Good。テレワークの推進も
課題に触れつつ書くと説得的だね。

オススメ参考資料

☑ 「仕事と生活の調和」推進サイト（内閣府）
かなり参考になるサイトなので必見だ。ワーク・ライフ・バラン
ス推進のための国民運動、「カエル！ジャパン」キャンペーンにつ
いてまとまっている。これを通じて、企業や働く人、国・地方公共
団体の各主体はもちろんのこと、広く国民の取組みへの気運を醸
成していくとのこと。
▶ http://wwwa.cao.go.jp/wlb/index.html

☑ TOKYOライフ・ワーク・バランス（東京都）
東京都は小池都知事が「ライフ・ワーク・バランス」という言葉を
使って注目を集めた。先進的な東京都の取組みが学べるのでとて
も有益である。
▶ https://www.hataraku.metro.tokyo.lg.jp/hatarakikata/lwb/
index.html

☑ あいちワーク・ライフ・バランス推進運動とは？（愛知県）
この運動に賛同する事業所を募集し、「ピックアップ取組事例」で
は、各企業の具体的な取組みを紹介しているよ。
▶ https://famifure.pref.aichi.jp/aichi-wlbaction/about/

女性・子ども・高齢者

テーマ 02 | 女性の活躍

頻出度 ★★★

（例題）

　社会における女性の参画についての現状や課題を踏まえて、女性の活躍を推進していくために、今後行政はどのように取り組んでいくべきか、あなたの考えを述べなさい。

ここからSTART

「現状」は知識として持っていた方が有利だね。なお、基本知識として、女性の年齢階級別労働率を示すM字カーブを知っておくとよい。M字の底となる年齢階級は上昇し（35 〜 39歳）、かつ谷にあたる期間も短縮している。今後は、いわゆる「L字カーブ」の解消が鍵となる。これは、出産後に女性の正規雇用比率が低下する現象のことを指し、女性の正規化を目指していく必要があるよ。

合格答案例の構成

導入部分

現状と課題
- 「指導的地位」に女性が占める割合は、いまだ低いまま
- 女性の非正規雇用の割合は高く、男性に比べて給与水準や継続就業率が低い
- 指導的役割を担う女性を増やしていくこと、雇用の場面における男女間の格差を解消していくことが課題

取組み①

指導的役割を担う女性を増やすよう取り組んでいくべき
- 適材適所の管理職登用を後押し
  - → 見える化の推進
- ポジティブ・アクションの実行
  - → クオータ制、基盤整備

取組み②

雇用の場面における格差解消に向けて取り組んでいくべき
- 正規雇用転換
  - → キャリアアップ支援金制度の活用、「多様な正社員」の普及
- 非正規雇用を選択する者の処遇を改善していく
  - → 同一労働・同一賃金の徹底
  - → 労務管理上の悩みや経営上の相談を専門家が無料で受け付ける窓口を用意

まとめ

行政はこれまで以上に女性の活躍できる環境整備に尽力していくべき

合格答案例

現在、政府は「指導的地位」に女性が占める割合を2020年代の可能な限り早期に30％にすることを目指しているが、現状はいまだ低レベルにとどまっている。日本の**ジェンダーギャップ指数[1]**を見ても政治や経済の分野の値が低く、146カ国中118位にとどまっている。また、女性の非正規雇用の割合は高く、**男性に比べて給与水準や継続就業率が低い[2]**ことも指摘されている。このような現状を踏まえ課題として挙げられるのは、指導的役割を担う女性を増やしていくことと、雇用の場面における男女間の格差を解消していくことである。女性が社会の意思決定に関わることは、多様な価値観が反映されるだけでなく、組織のイノベーションも促進され、競争力や社会的評価が向上し、さまざまな場面における価値の創造につながる。では、女性の活躍を推進していくために、今後行政はどのようなことに取り組んでいくべきか。以下具体的に述べる。

第一に、指導的役割を担う女性を増やすよう取り組んでいくべきである。そのためには、女性の採用・登用・能力開発等のための行動計画の策定（数値目標を明記）を事業主に義務付ける女性活躍推進法に基づき、適材適所の管理職登用を後押ししていかなければならない。そして、より一層の**見える化[3]**を推進し、女性活躍に向けた取組みが社会で評価されることを通じて、他の企業にも取組みが波及するという好循環を作り出していくことが大切である。また、**ポジティブ・アクション[4]**の実行

---

[1] ジェンダーギャップ指数

各国の男女不平等を数値化したもの。世界経済フォーラム（WEF）が毎年公開していて、日本は世界146カ国中118位（2024年）と低順位にとどまっている。1が男女完全平等とし、0が男女完全不平等となるよ。

[2] 男性に比べて給与水準や継続就業率が低い

厚生労働省が2024年1月にまとめた集計では、女性の平均賃金は男性の7割弱にとどまるんだ。主要国に比べて格差が大きい点が問題だよね。

[3] 見える化

内閣府は、国や自治体の職場環境の見える化を、厚生労働省は、民間企業の情報・行動計画を公表して、見える化を進めているよ。

も鍵となる。具体的には、指導的地位に就く女性の数の枠を設定する方式が考えられる。性別に基づき一定の人数や比率を割り当てるクオータ制の導入はその例である。また、人材プールを厚くするための基盤整備を進めることも大切である。例えば、管理職に必要な知識や専門性を身につけられる**リスキリング**⑤に対して支援策を講じることが考えられる。いったんロールモデルができあがれば、管理職を目指す女性が増えることを期待できるだろう。

 第二に、雇用の場面における格差解消に向けて取り組んでいくべきである。そのためには、正規雇用を希望する者の正規雇用転換や**非正規雇用を選択する者**⑥の処遇改善を進めていくことが必要である。まず正規雇用転換については、現在行われているキャリアアップ支援金制度の活用が有効である。これは、非正規雇用労働者の企業内でのキャリアアップを促進するため、正規雇用化などの取組みを実施した事業主に対して助成金を支給する制度である。このような取組みは企業の自発的な改革を促すきっかけとなり得るため、行政としては制度説明を含めて、社会全体に広く周知していくべきである。また、職務、勤務地、労働時間を限定した「多様な正社員」の普及を図るとともに、テレワークの導入やフレックスタイム制、ローテーション勤務などの柔軟な働き方の導入を呼びかけていくことも重要となってくる。このような取組みを通じて、出産や子育てなどの制約を抱えた女性が非正規化していく**L字カーブ**⑦の解消を図り、正社員として働き続けられる雇用環境を整えていくことが求められる。一方、非正規雇用を選択する者の処遇を改善していくためには、**同一労働・**

④ **ポジティブ・アクション**
ポジティブ・アクションとは、社会的・構造的な差別によって不利益を被っている者に対して、一定の範囲で特別の機会を提供することにより、実質的な機会均等を実現することをいうよ。

⑤ **リスキリング**
新しい職業に就くために、あるいは、今の職業で必要とされるスキルの大幅な変化に適応するために、必要なスキルを獲得すること。経済産業省などは補助金を出しているね。

⑥ **非正規雇用を選択する者**
約4割が非正規雇用労働者だよ。

ここでも使える!
テーマ 11
格差社会

⑦ **L字カーブ**
20代後半をピークに正規雇用労働者比率が減少していく現象を指すよ。

同一賃金[8]の徹底が肝となる。現在、正規雇用を希望しな
がら、非正規雇用で働く人は1割程度となっており、自己
のライフスタイルに合わせて非正規雇用を希望する人が多
い。このような状況下において**正規雇用労働者と非正規雇
用労働者の間に不合理な格差はあってはならない**[9]。そこ
で、継続的な賃金引上げを行う必要がある。行政としては、
事業主からの労務管理上の悩みや経営上の相談を専門家が
無料で受け付ける窓口を用意することによって、処遇改善
に向けた的確なアドバイスを随時行っていくことが大切で
ある。

　　　女性が自らの希望を実現して活躍することによ
り、解決することのできる社会的課題は多い。ま
た、多様な発想や能力の活用が、質の高いサービスの実現
や信頼の醸成、競争力の強化に寄与することも考えられ、
活発な企業活動をも期待できるようになる。それゆえ、行
政はこれまで以上に女性の活躍できる環境整備に尽力して
いくことが求められる。

（1692 文字）

⑧ 同一労働・同一賃金
同一の業務をする労働者に対しては雇用形態などによる待遇の差をなくそうという考え方だよ。

⑨ 正規雇用労働者と……格差はあってはならない
徐々に格差は縮まってきてはいるものの、まだまだ道半ばだよ。

ここがPOINT

今回、合格答案例では①指導的役割を担う女性を増やしていく取組みと②雇用の場面における格差を解消していく取組みにフォーカスしたけど、女性の活躍を推進する術はほかにもたくさんある。だから何を書いてもいい。ただ、女性の活躍が「多様性」という発想からくるものであるという点を忘れずに。基本的に「男性だから」「女性だから」という発想は今風ではないからね。

オススメ参考資料

☑ **男女共同参画白書 令和6年版（内閣府）**
特集として「仕事と健康の両立～全ての人が希望に応じて活躍できる社会の実現に向けて～」が掲載されているね。両立支援は新たなステージへと転換していくとのことだ。健康問題にフォーカスしている点は新しいね。
▶ https://www.gender.go.jp/about_danjo/whitepaper/r06/zentai/index.html

☑ **女性の活躍推進企業データベース（厚生労働省）**
女性活躍推進法に基づいて、全国の企業が公表している女性の活躍状況に関する情報・行動計画をまとめたサイト。女性の活躍推進や仕事と家庭の両立支援に積極的に取り組む企業の事例を多数掲載しているよ。事例検索ができるようになっていて、使い勝手もよい。
▶ http://positive-ryouritsu.mhlw.go.jp/positivedb/

☑ **女性活躍推進に取り組む区内事業主を応援します（墨田区）**
国、都および区のさまざまな取組みや支援をまとめたページ。墨田区女性活躍推進・働き方改革アドバイザー派遣事業では、区内の中小企業等に、専門のアドバイザー（社会保険労務士）を派遣しているよ。
▶ https://www.city.sumida.lg.jp/kuseijoho/jinken_danzyo/danzyo/jyoseikatuyaku.html

テーマ 03 | 少子化対策

頻出度 ★★★

例題

現在、わが国では少子化が急速に進行している。少子化が社会に及ぼす影響について言及し、少子化問題に対して行政はどのような取組みを行っていくべきか、あなたの考えを述べなさい。

ここからSTART

まずは少子化の現状を示すようにしよう。合計特殊出生率や出生数を挙げるといいけど、最新データにしてね。また、地方公務員を受験する場合には、自治体固有のデータを調べてみるといいよ。

合 格 答 案 例 の 構 成

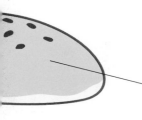

導入部分

我が国の少子化の現状、少子化が社会に及ぼす影響
- 年金や医療、介護といった社会保障制度の抜本的見直し
- あらゆる産業で人手不足が懸念
- 多くの地域で過疎化、高齢化が進み、地域社会の活力低下につながる

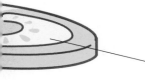

取組み①

少子化の主な原因とされる晩婚化と未婚化に対する取組み
- 不妊治療の経済的負担を軽減
- 結婚したいと考えている人に対する出会いの支援

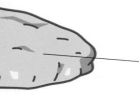

取組み②

子どもを安心して預けられる環境づくり
- 一度作られた園の持続可能性を高めるための支援
  → 保育士の就職に特化した支援拠点を立ち上げる

取組み③

子どもを産み、育てやすい社会づくり
- 男性の育児参加の機会を増やしていく
  → 男性の意識改革に積極的に取り組む企業を認定、行政内部から率先して男性の育児休業の取得率向上と取得日数の長期化に取り組む
- 子育てに関する地域のつながりを強化していく
  → ファミリー・サポート事業

まとめ

行政は今後も企業や地域に働きかけ、よりよい子育て環境の整備に取り組んでいく

合格答案例

 2023年の我が国における出生数は72.7万人と過去最少を記録した。これに伴い、**合計特殊出生率も1.20と過去最低**[1]となっている。この少子化が社会に及ぼす影響は主に以下の3つである。

まず、年金や医療、介護といった社会保障制度の抜本的見直しが必要となる。少子化により現役世代が少なくなると、一人当たりの保険料負担が重くなるため、現行制度を維持することは難しくなる。次に、長期的に見て労働力人口が減少することが予想されるため、あらゆる産業で人手不足が懸念される。さらに、多くの地域で過疎化、高齢化が進み、地域社会の活力低下につながる。では、このような少子化問題に対して、行政はどのような取組みを行っていくべきか。以下具体的に述べる。

 第一に、**少子化の主な原因**[2]とされる晩婚化と未婚化に対する取組みを行っていくべきである。まず、晩婚化については、子どもを持ちたいという声に応えるべく、不妊治療の経済的負担を軽減していく。既に一部の不妊治療については医療保険が適用されているが、年齢制限や回数制限があるため、必ずしも全ての人に開かれているとは言えない。そこで、今後はより一層の充実を図るため、保険適用から外れた人に対する**助成制度**[3]を用意していく必要があるだろう。また、併せて不妊治療を安心して受けられる環境づくりを進めていかなければならない。不妊治療にはストレスや精神的な負荷がかかるためである。そこで、行政は企業に対して不妊治療に対する理解

[1] 合計特殊出生率も1.20と過去最低

8年連続で前年を下回っている。また、東京都は全国で一番低く、0.99と1を下回った。2024年上半期（1〜6月）の出生数は過去最少の35万74人だった。このままいけば、通年で70万人を下回る可能性があるよ。

[2] 少子化の主な原因

若い世代の経済格差の拡大や価値観の多様化などもあるね。

[3] 助成制度

東京都は、女性の妊娠や出産の選択肢を広げるため、加齢等による妊娠機能の低下を懸念する場合に行う「卵子凍結」にかかる費用を助成しているよ。最大合計30万円の助成を受けられるよ。

促進を図り、誰もが仕事と不妊治療を両立できる環境を作っていく必要がある。次に、未婚化については、結婚したいと考えている人に対して出会いの支援をしていく。具体的には、自治体で婚活イベントを開催したり、独身者を対象に**マッチングアプリの利用料を補助**[4]したりすることが考えられる。

 第二に、子どもを安心して預けられる環境づくりに取り組むべきである。現在、**待機児童数は減少傾向にあり**[5]、待機児童ゼロを達成する自治体も増えてきている。しかし、急速に受け皿を増やしてきたがゆえに、定員割れによる財政難や保育人材の不足に苦しむ園、閉鎖に追い込まれてしまう園も出てきている。これでは安心して子どもを預けられる環境が整備されているとは言い難い。そこで、今後は一度作られた園の持続可能性を高めるための支援を行っていかなければならない。特に保育士不足の解消については、**保育士の就職に特化した支援拠点を立ち上げ、保育施設で働きたい人と施設側のマッチングをサポートする取組みが考えられる**[6]。これにより、保育士資格を有しながら保育士として働いていない潜在保育士の掘り起こしも可能となるのではないだろうか。

 第三に、子どもを産み、育てやすい社会づくりに取り組むべきである。まず、男性の育児参加の機会を増やしていく。安心して子どもを産み育てるためには、仕事と子育ての両立に関する男性の意識改革が不可欠となる。にもかかわらず、**男性の育児休業取得率は女性のそれには遠く及ばない**[7]。また、取得率自体は上がってきてはいるものの、取得日数が少ないケースがほとんどであ

る。そこで、**男性の意識改革に積極的に取り組む企業を認定**⑧し、その取組みを社会に広く周知していくべきである。また、行政内部から率先して男性の育児休業の取得率向上と取得日数の長期化に取り組み、社会をけん引していくことも大切である。次に、子育てに関する地域のつながりを強化していく。すなわち、地域全体で子育てを行う共助の仕組みを作るということである。例えば、多くの自治体ではファミリー・サポート事業という、子育てで地域を結ぶ取組みを行っている。子育ての手伝いをしたい人と手伝いを頼みたい人とをつなげることで、地域全体で助け合いながら子育てを行うことが可能となる。これがひいては子育てに対する家庭の不安や負担を軽減する効果にもつながるだろう。

　　　少子化の流れはこれからも進行していくと考えられる。しかし、そのような中でも将来に希望をもって子育てに向き合える社会づくりを目指していかなければならない。そのため、行政は今後も企業や地域に働きかけ、よりよい子育て環境の整備に取り組んでいく必要がある。

(1708 文字)

⑧ **男性の意識改革に積極的に取り組む企業を認定**
石川県では、男性従業員が子育てに参加しやすい職場環境づくりに積極的に取り組む企業を「石川県パパ子育て応援企業」として認定している。

ここでも使える！
テーマ 01
仕事と生活の調和

ここがＰＯＩＮＴ

待機児童について触れたい人は、学童保育の待機児童について触れるとよい。学童保育の待機児童数は2024年5月時点の速報値で1万8,462人にのぼり、過去最多となっている。一方、保育所の待機児童数は減少傾向にあるよ。

オススメ参考資料

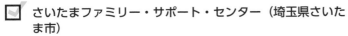

☑ **東京都妊活課（東京都福祉局）**

妊活についての知識がまとまっている東京都のサイト。妊活スタートクイズや妊娠のしくみ、妊娠のために知っておきたいこと、妊活中の食生活について、妊活中の服薬についてなど、妊活に関して知りたい情報が一元化されている。

▶ https://www.ninkatsuka.metro.tokyo.lg.jp/

☑ **さいたまファミリー・サポート・センター（埼玉県さいたま市）**

「さいたまファミリー・サポート・センター」は、育児の援助を受けたい人と育児の援助を行いたい人からなる会員組織だよ。ファミリー・サポートの仕組みがよくわかると思うので、一読してみるといいよ。

▶ https://www.city.saitama.jp/003/001/011/p005385.html

☑ **男性育児休業等推進宣言企業（埼玉県）**

男性の育児休業等取得の気運を醸成するために、「男性育児休業等推進宣言企業」を募集し、宣言企業に宣言企業ステッカー等を提供しているよ。宣言企業はサイト内の宣言企業一覧ページで企業・団体名、所在地、宣言内容を公表している。

▶ https://www.pref.saitama.lg.jp/workstyle/dannseiikukyuu/senngen.html

テーマ 04 子どもの貧困 ★★

頻出度

例題

　近年、子どもの貧困が社会問題となっている。「国民生活基礎調査」によると、子どもの貧困率は 11.5 ％と改善してきているものの、依然として母子世帯は 75.2 ％、児童のいる世帯は 54.7 ％が「生活が苦しい」と感じており、子育て世帯の厳しい状況がうかがえる。このような現状を踏まえ、子どもの貧困が生じる背景について触れ、行政はどのような取組みを行っていくべきか、あなたの考えを述べなさい。

＼ ここからSTART ／

子どもの貧困率を挙げられるとよいね。厚生労働省の調査によると 2021 年（今のところ最新）は 11.5 ％となり、前回の 2018 年の調査から 2.5 ％ポイント改善したよ。また、ひとり親世帯の貧困率は約 5 割と非常に高いことにも留意すべきだね。

合格答案例の構成

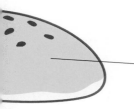

導入部分

子どもの貧困率の定義
- 子どもの貧困が生じる背景
  → ひとり親世帯の経済的困窮

取組み①

就労支援に取り組む
- 正規比率の向上
- 各人に合わせた就業相談支援や職業紹介

取組み②

子どもに対する学習支援と生活支援に取り組む
- 無料の学習支援を行っていく、子ども食堂の普及

取組み③

貧困の早期発見に向けて取り組む
- 問題が表面化しづらいという特徴
- 適切な支援につなげるため、貧困の実態調査を行っていく
  ことが必要

まとめ

社会全体との協働により、継続的な取組みを行っていく

合格答案例

　　　　子どもの貧困率とは、17歳以下の子ども全体に占める、**等価可処分所得①**が貧困線に満たない子どもの割合をいう。子どもの貧困が生じる背景として、ひとり親世帯の経済的困窮を挙げることができる。ひとり親世帯の非正規比率が高い点からもこの事実をうかがい知ることができる。子どもの貧困は、教育格差や体験格差の拡大にもつながるため解決しなければならない喫緊の課題である。では、子どもの貧困に対して、行政はどのような取組みを行っていくべきか。以下具体的に述べる。

　　　　第一に、就労支援に取り組むべきである。ひとり親世帯では、子育てと仕事の両立が難しく、非正規雇用となったり、そもそも職にありつけなかったりする場合がある。そこで、就労支援に力を入れ、正規比率の向上に取り組む。具体的には、正規雇用への転換を後押しするために、**積極的に取り組む企業に対して支給する助成金を②**充実させていくべきである。また、職にありつけない状況を解決するために、各人に合わせた就業相談支援や職業紹介を行っていく必要がある。その際、応募書類の書き方や面接のアドバイスを含めた伴走化型のきめ細かな支援ができると効果的である。

　　　　第二に、子どもに対する学習支援と生活支援に取り組むべきである。貧困の連鎖を断ち切るために、社会全体の協力を求めることが肝要である。まず、学習支援については、貧困家庭の子どもが経済的な理由で塾に通えず、学力が身につかないまま進路を諦めることがな

① 等価可処分所得
等価可処分所得とは、世帯の可処分所得を世帯人員の平方根で割って調整したものだよ。

> **ここでも使える！**
> テーマ11
> 格差社会

② 積極的に取り組む企業に対して支給する助成金を
厚生労働省では、非正規雇用労働者の企業内でのキャリアアップを促進するため、正社員化、処遇改善の取り組みを実施した事業主に対して助成金を支給する制度キャリアアップ助成金制度を用意しているよ。

いように、学習支援に力を入れていく。例えば大学生や地域のボランティア団体と協働し、放課後に公民館を活用して補習授業を行うことなどが考えられる。次に、生活支援については、貧困家庭の子どもが食事に困らぬよう、無料で食事を提供する子ども食堂の更なる普及に取り組んでいく。行政としては、このような取組みに対して、人材募集の支援や金銭的な援助を継続的に行っていくことが求められる。

　　　第三に、貧困の早期発見に向けて取り組むべきである。子どもの貧困は、親が周囲に相談せず一人で悩みを抱えがちな点や子ども自身が貧困を認識していない点など、そもそも問題が表面化しづらいという特徴がある。そこで、適切な支援につなげるため、貧困の実態調査を行っていくことが必要となる。具体的には、子どもを持つ全世帯を対象に、所得や公共料金の支払い状況、子どもの健康状態や食生活などについて回答してもらう。そして、明らかになった課題に対して重点的に取り組むのである。ただ、このような調査は個人のプライバシーに抵触することにもなるため、あくまでも任意の協力を求める形で実施するにとどめるべきである。子どもの貧困は、虐待や不登校、非行など新たな問題を引き起こす要因になりうるため、家庭の理解を得ながら、正確な実態把握に努めることが大切だ。

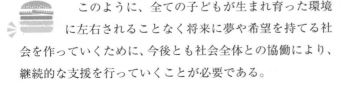　　　このように、全ての子どもが生まれ育った環境に左右されることなく将来に夢や希望を持てる社会を作っていくために、今後とも社会全体との協働により、継続的な支援を行っていくことが必要である。

（1242 文字）

ここがPOINT

子どもの貧困対策としては、貧困の連鎖を断ち切ることが何より大切だ。経済支援や教育支援、地域社会の協力など、さまざまな手立てを自分の言葉で表現することが求められるよ。

オススメ参考資料

☑ **子どもの健康・生活実態調査（東京都足立区）**

足立区は、全ての子どもが生まれ育った環境に左右されることなく、自分の将来に夢や希望が持てる地域社会の実現を目指している。そこで、子どもの健康と生活の実態をできる限り正確に把握した上で、健康格差対策を講じるため「子どもの健康・生活実態調査」を実施している。

▶ https://www.city.adachi.tokyo.jp/kokoro/fukushi-kenko/kenko/kodomo-kenko-chosa.html

☑ **東京都ひとり親家庭支援センターはあとの就業支援（東京都福祉局）**

ひとり親家庭それぞれに合わせた就業相談、就業相談支援、職業紹介を行っている。「東京都ひとり親家庭支援センターはあと飯田橋」（就業相談窓口）のHPでは、困り事ごとに支援内容が解説されている。

▶ https://www.fukushi.metro.tokyo.lg.jp/kodomo/hitorioya_shien/syurou/haat_iidabashi.htm

☑ **こどもの貧困対策（こども家庭庁）**

こども家庭庁におけるこどもの貧困対策をまとめたページ。こどもの貧困の解消に向けて社会全体で取り組むため、支援したい人や企業と、草の根でこどもたちを支えているNPO等の団体を結びつける「こどもの未来応援国民運動」の紹介もあるよ。

▶ https://www.cfa.go.jp/policies/kodomonohinkon/

テーマ 05 | 不登校問題

頻出度 ★★

例題

　現在、小・中学校における不登校の児童・生徒数は増加傾向にあり、2022年度調査によると約30万人にのぼる。不登校が起こる背景について触れ、このような不登校問題に対して行政が取り組むべきことは何か、あなたの考えを述べなさい。

ここからSTART

不登校が起こる背景は難しい。調べていくと、どうやら昨今のデジタル機器への依存やコロナ禍以降の生活習慣の乱れなどがあるようだ。それゆえ、誰にでも起こり得る身近な問題であることを踏まえて論証を進めるのが吉。

 合 格 答 案 例 の 構 成

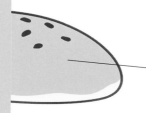

導入部分

不登校の定義
- 不登校が起こる背景
- 不登校がもたらす影響

取組み①

学びの場の確保
- フリースクールとの連携強化

取組み②

相談体制の整備
- 学校内 → 教師やスクールカウンセラーが子どもたちの心身の異変に気づき、相談のきっかけを作っていく
- 学校外 → 教育支援センターの整備、デジタルの活用

取組み③

不登校対策の効果検証
- 優れたモデルとなり得る事例を随時収集し、それを他に紹介していく

まとめ

さまざまな変化が生じている現在においては、必要な対策は一様ではない。

合格答案例

不登校とは、何らかの心理的、情緒的、身体的あるいは社会的要因により、登校できない状況にあることをいう。不登校が起こる背景としては、いじめなどの問題が想起されがちであるが、文部科学省の調査によると、原因の上位には「無気力・不安」「生活リズムの乱れ・非行」「いじめを除く友人関係をめぐる問題」が並ぶ。これは、昨今のデジタル機器への依存やコロナ禍以降の生活習慣の乱れなどが背景にあると考えられ、誰にでも起こり得る身近な問題である。不登校は子どもたちにとって学びの機会の喪失や人間関係を形成する際のコミュニケーションの不足、自己肯定感の希薄化などをもたらすともされるため、解決するべき喫緊の課題である。では、このような不登校問題に対して行政が取り組むべきことは何か。以下具体的に述べる。

第一に、学びの場の確保である。不登校になったとしても、学びたいと思った時に多様な学びにつなげられるよう、個々のニーズに応じた受け皿を整備していく。例えば、**フリースクールとの連携強化**[1] が考えられる。フリースクールは、学校とは異なり、子どもの将来の社会的自立や学校生活の再開に向けて、さまざまな支援を柔軟に行うことができる点に強みがある。そこで、**フリースクール事業の運営費を助成**[2] し、学校以外の学びの機会を保障するとともに、情報共有を通じて在籍校との連携を強めていく必要がある。

[1] フリースクールとの連携強化
東京都では、高校を中退した者を受け入れるチャレンジスクールの拡充にも取り組んでいる。

[2] フリースクール事業の運営費を助成
東京都では、フリースクール等に通う不登校状態の児童・生徒に対する利用料の助成事業を、令和6年度から実施している。また、フリースクールそのものへの助成も検討しているよ。また、群馬県前橋市はフリースクールに通学する際の交通費を補助している。

第二に、相談体制の整備である。不登校になる児童・生徒は学校内外の専門機関等で相談・指導を受けていないケースが多い。こうした状況を踏まえると、誰かに相談することで不登校になることや、それが深刻化することを防げる可能性が高い。そこで、まずは学校内で教師やスクールカウンセラーが子どもたちの心身の異変に気づき、相談のきっかけを作っていくことが求められる。一方、学校外では**教育支援センター**③の整備を進め、その存在を周知していく必要がある。教育支援センターでは、学校側への定期連絡も行われるため、学校と連携することで適切な支援へとつなげることができる。また、デジタルの活用も視野に入れるべきだろう。例えば、LINE やチャットなど児童生徒が日頃から使用している身近ですぐにつながることのできる手段を用意することが大切である。

　第三に、不登校対策の効果検証である。適切な支援につなげていくためには、一人ひとりの児童・生徒が不登校となった要因や学びの状況などを的確に把握するのみならず、地域や学校において現在行われている不登校対策の実施状況を定期的に調査・分析し、効果検証を繰り返していくことが必要となる。また、モデルとなり得る優れた取組み事例を随時収集し、それを他に紹介していくことも併せて行っていかなければならない。

　社会経済情勢の変化や価値観・家族観の多様化など、さまざまな変化が生じている現在、必要な対策は一様ではない。そこで、行政は、地域や学校、家庭の協力を得ながら適切な支援の在り方を模索し続けていかなければならない。

（1229 文字）

③ **教育支援センター**

教育支援センター（適応指導教室）は、各都道府県・自治体が設置・運営する公的な施設で、不登校児童・生徒の相談にのってくれるよ。

ここがPOINT

不登校問題については、いじめも一緒に問われることがある。その場合は以下のようなことを意識して書けば良い。まず、いじめが起こる原因は、ストレスや同調圧力、未熟さなどが挙げられる。対策としては、教育による規範意識の醸成や相談窓口の設置、通報・通告制度の充実など。関係機関と連携して、組織に対応していくことが大切だよ。

オススメ参考資料

☑ **誰一人取り残されない学びの保障に向けた不登校対策「COCOLO プラン」(文部科学省)**

不登校により学びにアクセスできない子供たちをゼロにすることを目指したプラン。①不登校の児童生徒全ての学びの場を確保し、学びたいと思った時に学べる環境を整える、②心の小さなSOSを見逃さず、「チーム学校」で支援する、③学校の風土の「見える化」を通じて、学校を「みんなが安心して学べる」場所にする、の3つを柱としている。

▶ https://www.mext.go.jp/content/20230418-mxt_jidou02-000028870-bb.pdf

☑ **教育支援センター (東京都武蔵野市)**

教育相談をはじめ、不登校の児童・生徒の適応指導などを行っている。教育相談支援(来所相談・電話相談)や学校派遣相談支援などがあるよ。

▶ https://www.city.musashino.lg.jp/shussan_kodomo_kyoiku/sho_chugakko/kyoikusodan/1007045.html

☑ **登校サポート事業 (東京都江戸川区)**

江戸川区では、不登校・不登校傾向にある児童生徒に対して、登校の付き添いや学校の別室での対応などを通じて学級復帰の手助けをするステップサポーターを募集しているよ。

▶ https://www.city.edogawa.tokyo.jp/e072/kosodate/kyoiku/kyouiku/shisetuitiran/kyoikusodan/toukousapoto.html

テーマ 06 | 児童虐待

頻出度 ★★

例題

近時、全国の児童相談所で児童虐待に関する相談対応件数が増加しており、また、それによる死亡事件も発生している。このような現状を踏まえて、児童虐待に対して行政が取り組むべきことは何か、あなたの考えを述べなさい。

ここからSTART

児童虐待の種類を挙げることから始めるとスムーズに筆が進む。また、児童虐待が起こる背景は複数ある。さまざまな背景が重なって起こるということを示したいね。

合 格 答 案 例 の 構 成

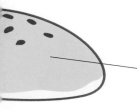

導入部分

現状・現況
- 児童虐待の定義
- 全国の児童相談所での児童虐待に関する相談対応件数は、増加の一途をたどっている

取組み①

発生予防
- 相談窓口の充実
- 親同士が交流する機会を増やす
- 虐待防止意識の啓発

取組み②

早期発見、早期対応
- 早期発見 → 通告の呼びかけ
- 早期対応 → 情報共有、役割分担の協議

取組み③

子どもを保護するための体制強化
- 一時保護所の環境改善 → 定員増や職員増を実施
- 受入れ先として里親制度の利用を促進

まとめ

さまざまな関係機関と連携することで児童虐待の根絶に向けて取組みを継続していく

合格答案例

児童虐待とは、保護者が子どもの心や身体を傷つけ、子どもの健やかな発育や発達に悪い影響を与えることを指す。その種類には身体的虐待、性的虐待、ネグレクト、心理的虐待の4種類がある。全国の**児童相談所**[1]での児童虐待に関する相談対応件数は、増加の一途をたどり、特に**心理的虐待**[2]の件数が多い。児童虐待が起こる背景には、保護者の養育上の不安や保護者の責任意識の欠如、夫婦の不仲などがあるとされるが、家庭が抱えるさまざまな問題が複雑に絡み合って発生することが多いため、原因の特定は必ずしも容易ではない。では、児童虐待に対して行政が取り組むべきことは何か。以下具体的に述べる。

第一に、発生予防である。そのためには、まず子育ての不安を解消するための仕組みづくりが求められる。児童虐待の根底には親の育児不安やストレスがあるとされる。つまり、子どもの養育上の不安やストレスがもととなり、子どもを必要以上に叱ったり、たたいたりしてしまうことへとつながるのである。そこで、子育て中の親が悩みを一人で抱え込むことがないよう、相談窓口を充実させていく。また、親同士の交流する機会を増やし、子育てに関する情報を共有できる体制を整えていくことも必要だ。社会福祉法人やNPOなどをはじめとする多様な主体の知恵と協力を得ながら、地域で子育てをする親を支えていくことが大切である。併せて、虐待防止意識の啓発も行っていくべきである。これには例えば、11月の**児童**

[1] 児童相談所

児童福祉法に基づいて設置される行政機関で、都道府県と指定都市に設置が義務付けられている。近年の法改正で、東京都の特別区（23区）にも設置できるようになったよ。

[2] 心理的虐待

心理的虐待には子どもの面前で配偶者に暴力をふるう「面前DV」も含まれるよ。2022年度は21万4,823件（前年度比7,183件増）。「面前DV」などの心理的虐待が6割近くを占める。警察からの相談件数が半数以上となっているよ。

虐待防止推進月間③を中心に、オレンジリボン運動を普及していくことや、民間等の協力を得ながら、虐待防止のキャンペーンイベントを実施していくことなどが考えられる。

第二に、早期発見、早期対応である。虐待は家庭内で行われることが多いため、そもそも発見自体が遅れる場合も多い。そこで、地域に対して児童相談所への通告④を呼びかけていくべきである。現行の通告は、匿名で行うことができ、通告をした人やその内容に関する秘密は守られている。しかし、いまだ通告の基準が曖昧であるため、通告をためらう人も多いと聞く。そこで、今後は何らかの目安や基準などを設定することで、より通告しやすい環境を作っていくべきだろう。一方、早期対応については、現在子どもや家庭をめぐる問題は複雑・多様化してきていることもあり、児童相談所や福祉事務所、児童福祉施設、警察など、関係機関は多岐にわたる。そこで、各関係機関は素早く情報共有を行える体制を整えるとともに、それぞれの立場に応じた役割分担をあらかじめ協議しておくことが重要である。

第三に、子どもを保護するための体制強化である。虐待が確認された後は、子どもの安全を第一に適切な一時保護が不可欠である。しかし、現状は定員を超えた一時保護や受入れ先が見つからないことを理由とする期間超過が問題となっている。そこで、一時保護所⑤の環境改善を図るため、定員増や職員増を実施することに加え、受入れ先として里親制度⑥の利用を促進していくことが必要である。里親制度は、親の代わりに一時的に家庭内で子どもを預かって養育する制度をいい、里親に委託する

③ 児童虐待防止推進月間
東京都では、児童虐待防止に係る普及啓発キャラクターである「OSEKKAIくん」と共に、オレンジリボンキャンペーンの取組みを広げている。

④ 児童相談所への通告
児童相談所虐待対応ダイヤル「189」というのがあるよ。ここにかけると、近くの児童相談所につながるよ。

ここでも使える!
テーマ05
不登校問題

⑤ 一時保護所
児童相談所に付設する施設で、保護が必要な18歳未満の子を一時的に預かるんだ。入所期間は原則2カ月までとなっている。

⑥ 里親制度
家庭養護の仕組みだよ。児童福祉法改正により、実親による養育が困難であれば、児童養護施設などの施設養護ではなく、里親などの家庭養護が優先されることが明記された。

ことができれば、愛情をもった家庭で生活することになるため、子どもの精神面の安定につながることを期待できる。そこで行政としては、里親制度の普及啓発を通じて委託率の向上を目指していくことが求められる。

虐待は子どもの心身の成長や人格の形成に重大な影響を与える。それだけに早急に解決しなければならない課題である。行政はさまざまな関係機関と連携することで児童虐待の根絶に向けて取組みを継続していくことが必要である。

（1474文字）

ここがＰＯＩＮＴ

今回の設問は、「児童虐待に対して行政が取り組むべきことは何か」となっているため、時系列に沿って取組みを書き分けてみたよ。もし、「児童虐待が起こらないようにするために行政が取り組むべきことは何か」と問われた場合は、「発生予防」に力を入れて書くことが求められるね。

オススメ参考資料

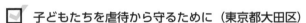

☑ **児童虐待防止推進月間～オレンジリボンキャンペーン～（東京都福祉局）**

一人ひとりに何が出来るのかを呼びかけていく活動が「オレンジリボンキャンペーン」。東京都は、「オレンジリボン・児童虐待防止推進キャンペーン」標語なども実施しているよ。

▶ https://www.fukushi.metro.tokyo.lg.jp/jicen/gyakutai/gekkan.html

☑ **子どもたちを虐待から守るために（東京都大田区）**

大田区「児童虐待対応マニュアル」の改訂版。4章構成になっているんだけど、これを読んでおけば児童虐待についての一通りの理解が可能だ。

▶ http://www.city.ota.tokyo.jp/seikatsu/kodomo/shien/kodomo_katei_shien_c/gyakutai.html

☑ **社会的養護（こども家庭庁）**

保護者のない児童や、保護者に監護させることが適当でない児童を、公的責任で社会的に養護し、保護するとともに、養育に大きな困難を抱える家庭への支援を行うことを社会的養護という。里親制度についても一通り学ぶことができるよ。

▶ https://www.cfa.go.jp/policies/shakaiteki-yougo

テーマ 07 | ヤングケアラー | 頻出度 ★★★

（例題）

　近年、病気や障害のある家族の介護や幼い兄弟の世話をするヤングケアラーが社会問題化している。ヤングケアラーの抱える問題点について触れ、今後行政はどのような支援策を講じていく必要があるのか、あなたの考えを述べなさい。

＼ここからSTART／

まず、ヤングケアラーの定義を書くことから始めよう。ヤングケアラーの抱える問題は多数あるけど、代表的なものだけをピックアップできるといいね。まだ新しい社会問題なので、細かいデータなどを挙げる必要はないだろう。

合格答案例の構成

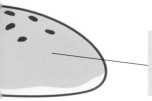

導入部分

ヤングケアラーの定義
ヤングケアラーの抱える問題
- 学業や友人関係などに影響が出てしまうこと

取組み①

ヤングケアラーの実態を調査
- 家庭の内情を適切に把握する
- 適切な外部機関との連携により、家庭の事情をいち早く把握できるような体制を整えていく

取組み②

相談窓口の整備や支援マニュアルの策定
- 相談できる窓口を設ける
  → 社会福祉士などの有資格者が相談を受け、各機関と連携して支援につなげていく
- ヤングケアラーの支援マニュアルを作成
  → オープンデータとして活用できるようにする

取組み③

ヤングケアラーの認知度向上のための普及啓発
- リーフレットを作成
  → ヤングケアラーの概念や支援の必要性、具体例などを中心に、広く啓発・広報
- ヤングケアラーの声や体験談などを映像ツールを駆使して社会に広く届ける

まとめ

ヤングケアラーは、特別な存在ではなく、誰もがその立場になり得る身近な問題

合格答案例

　　ヤングケアラーとは、家族などの身近な人に対して、無償で介護、看護、世話、援助など、本来大人が担うことが想定されていることを日常的に行っている18歳未満の者をいう。厚生労働省の調査[1]によると、回答した中学2年生の17人に1人が世話をしている家族が「いる」と回答し、しかも頻度についても半数近くが「ほぼ毎日」世話をしているという結果になっている。ヤングケアラーの抱える問題は、その責任や負担の重さにより、学業や友人関係などに影響が出てしまうことである。具体的には、遅刻・早退・欠席が増え、勉強の時間が取れないなど学業面に影響が出てしまったり、友人とコミュニケーションを取れる時間が少ないため、友人関係に影響が出てしまったりする。また、自分にできると思う仕事の範囲を狭め、就職の際に良くない影響を及ぼすことも懸念される。では、このようなヤングケアラー問題に対して、今後行政はどのような支援策を講じていく必要があるのか。以下具体的に述べる。

　　第一に、ヤングケアラーの実態を調査する必要がある。なぜなら、教育や福祉の現場で早期に発見し、支援につなげるためには、細やかな実態の調査が不可欠であるからである。特に、学校現場においては、ヤングケアラーが抱える家庭内の問題に介入することは難しく、子どもに最も近い教員でさえも気づくことができないことが多いという。そのため、まずは行政が家庭の内情を適切に把握するべく実態調査に乗り出すことが求められ

---

[1] 厚生労働省の調査

2020年度に中学2年生・高校2年生を、2021年度に小学6年生・大学3年生を、それぞれ対象にした 厚生労働省の調査では、世話をしている家族が「いる」と回答したのは小学6年生で6.5%、中学2年生で5.7%、高校2年生で4.1%、大学3年生で6.2%だった。これは、回答した中学2年生の17人に1人が世話をしている家族が「いる」と回答したことになる。

[2] 実態調査に乗り出すことが求められる

実際、東京都港区では、ヤングケアラーの実態調査を実施して結果を公表しているよ。

る[2]。そのうえで、適切な外部機関との連携により、家庭の事情をいち早く把握できるような体制を整えていくべきである。具体的には、ソーシャルスクールワーカーや行政の福祉部門の職員など、家庭に直接アプローチすることのできる専門職の協力を得ることが大切である。

　　　　第二に、相談窓口の整備や支援マニュアルの策定を行うべきである。ヤングケアラーとみられる小中高生は、自身がヤングケアラーの状況に陥っていることを認識できていないことが多く、それゆえ誰にも相談しないケースが見られる。これでは問題が本人の心のうちに秘められてしまい、問題解決には至らない。そこで、ヤングケアラーの問題解決及び支援の充実の第一歩として、誰もが気兼ねなく相談できる窓口を設ける必要がある[3]。そして、社会福祉士などの有資格者が相談を受け[4]、各機関と連携して支援につなげていくことが求められる。また、地域が目となり、ヤングケアラーの存在に気づくことも大切である。そこで、地域が関係機関と緊密に連携し、ヤングケアラーに気づき、具体的な支援へとつなぐことができるよう、ヤングケアラーの支援マニュアルを作成することが求められる。このようなマニュアルをオープンデータとして活用できるようにしておき、福祉、教育をはじめとする関係機関へ周知することで、対応意識や能力を高めていくことが必要である。

　　　　第三に、ヤングケアラーの認知度向上のための普及啓発を継続的に行っていくべきである。ヤングケアラーは、まだ新しく認知度の低い問題であるため、社会全体の理解・認識をできるだけ早急に広めることで、

[3] 相談できる窓口を設ける必要がある

群馬県は 2023 年 6 月から、ヤングケアラーへのワンストップ相談窓口を始めた。県の調査で、ヤングケアラーとなっている小中高生の 7 割近くが相談をした経験がないと答えたためだ。

[4] 社会福祉士などの有資格者が相談を受け

ヤングケアラーを支援する専門的知見のあるコーディネーターを配置して、早期発見と多機関・多職種連携による支援を実施しているところもあるよ（東京都港区）。

早期の発見や支援につなげていくことが望ましい。普及啓発のためのリーフレットを作成する際には、ヤングケアラーの概念や支援の必要性、具体例などを中心に、広く啓発・広報することが求められる。また、プライバシーに配慮しつつも、ヤングケアラーの声や体験談などを映像ツールを駆使して社会に広く届ける[5]ことも必要だろう。さらに、ヤングケアラー問題普及月間や対策月間などを設けて、官民連携でヤングケアラー問題に取り組むのも効果的である。

　　　ヤングケアラーは、何も特別な存在ではなく、誰もがその立場になり得る身近な問題である。それゆえ、いち早く社会全体で気づき、支援していくことが求められる。行政としては、今後も地域や民間との連携により、包摂的にヤングケアラーへの支援を行っていくことが求められる。

（1609 文字）

[5] 映像ツールを駆使して社会に広く届ける
こども家庭庁のHPには、「「ヤングケアラー」を知っていますか？」と題した、動画が公開されているよ。

ここがPOINT

斬新な取組みは不要と考えられるので、視点をいくつかに分けて、一般的に思い浮かぶ取組みを丁寧に書いていくとよい。普及啓発については、いろいろ工夫を書けるといいね。新しい問題については、認知度の向上が解決の一歩となるよ。

オススメ参考資料

☑ 「ヤングケアラー」を知っていますか？（こども家庭庁）
ヤングケアラーのことをすべて学べる特設サイト。ヤングケアラーの現状やヤングケアラーが直面する問題などを把握するために有益だ。YouTubeの映像も充実していてとても分かりやすくまとまっている。
▶ https://kodomoshien.cfa.go.jp/young-carer/

☑ ヤングケアラー（東京都福祉局）
東京都ヤングケアラー支援マニュアル（令和5年3月発行）がとても参考になる。支援機関別のポイントや事例を掲載した概要版もあるので、自治体を目指す受験生は一読しておくことをおススメする。
▶ https://www.fukushi.metro.tokyo.lg.jp/kodomo/kosodate/young-carer.html

☑ ヤングケアラー（東京都江戸川区）
江戸川区の児童相談所のウェブページ。ヤングケアラーの具体例の紹介やヤングケアラー・コーディネーターの配置などについて学べる。ヤングケアラー・コーディネーターは、関係機関、支援者団体等と連携して相談・支援、適切な機関へのつなぎを行う専門職だ。
▶ https://www.city.edogawa.tokyo.jp/e077/kosodate/jiso/jigyoguide/young/index.html

テーマ 08 ｜ 高齢化

頻出度 ★★★

例題

　現在、高齢化が急速に進展している。高齢化がもたらす影響について触れ、高齢者が生き生きと暮らせる社会づくりに向けて、行政が行っていくべき取組みは何か、あなたの考えを述べなさい。

＼ここからSTART／

高齢化の現状を示すことからスタートしよう。我が国における高齢化率は最新データを挙げたいね。地方公務員試験を受験する場合は、受験先のデータを引用すると印象が良くなるよ。

合格答案例の構成

導入部分

我が国における高齢化率
高齢化がもたらす影響
- 社会保障制度の見直し
- 担い手が不足する
- 孤独・孤立する高齢者が増える

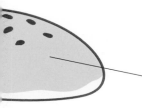

取組み①

高齢者の就業支援の強化の取組み
- 待遇面の改善を継続的に呼びかけていく
- テレワークや短時間勤務、フレックスタイム制の活用など を促すことで、時間的・場所的な制約なく柔軟に働ける環 境を整備していく
- 各種職業訓練を実施したり、独立開業支援を行ったりして いく

取組み②

健康不安の解消の取組み
- 健康づくりの機会を提供していく
- 個々の高齢者の特性に応じて生活の質の向上が図られるよ う食育を推進する

取組み③

交流の機会の提供の取組み
- 高齢者が参加しやすい地域活動を企画、実施し、高齢者の孤 独・孤立を防いでいく
見守り体制の整備
- 孤独・孤立に陥ってしまった高齢者に対しては、アウトリ ーチ型の支援を推進してく

まとめ

民間をはじめとする各層との協力を得て、上記の取組みを継 続的に行っていく

合格答案例

 　　我が国における高齢化率は、現在29.1％（2023年9月15日現在推計）に達しており、2040年には34.8％、2045年には36.3％になると見込まれている。高齢化がもたらす影響は以下の3つである。

　まず、社会保障制度の見直しが必要となる。少子化と相まって肩車型社会[1]が到来すると、医療や介護費を中心に社会保障に関する給付と負担の間のアンバランスが一段と強まることが予想される。次に、さまざまな場面で担い手が不足することが考えられる。例えば、企業活動では事業承継が困難となったり、人手不足による倒産が増えたりといったことが起こり得る。また、介護離職が増加すると、企業の存続自体が危ぶまれる。さらに、孤独・孤立する高齢者が増えることが考えられる。現在、65歳以上の一人暮らしの高齢者が増えている[2]ことから、地域とのつながりが希薄化すると、孤独死が増えていくことにもつながる。では、これらを踏まえ、高齢者が生き生きと暮らせる社会づくりに向けて、行政はどのような取組みを行っていくべきか。以下具体的に述べる。

　　第一に、高齢者の就業支援の強化である。我が国の高齢者は就業意欲が高く、実際の就業者総数に占める高齢就業者の割合も13.6％と過去最高を記録している。このような高齢者の活躍が我が国の労働力人口を支えているといってよい。しかし、実際は多くの企業が採用している継続雇用制度[3]において、仕事量が減っていないのに賃金の水準だけが低下しており、仕事へのモチベー

---

[1] 肩車型社会

一人の現役世代が一人の高齢者を支える社会のこと。

[2] 65歳以上の一人暮らしの高齢者が増えている

一人暮らしの高齢者数は、男女共に増加傾向にある。今後も一人暮らしの高齢者数は増加傾向が続き、2040年には男性約356万人、女性約540万人となることが予測されている（総務省「一人暮らしの高齢者に対する見守り活動に関する調査」より）。

[3] 継続雇用制度

高年齢者雇用安定法では、企業は65歳までの雇用を確保しなければならないとされており、ほとんどの企業が継続雇用制度を採用している。要は再雇用の制度だよ。なお、2021年4月からは、70歳まで働く機会を確保することが企業の努力義務とされている。

ションを保ちにくいという問題が指摘されている。そこで、高齢者のさまざまなニーズを把握し、誰もが理想的な働き方を選択できるよう、待遇面の改善を継続的に呼びかけていくことが必要だ。併せて、テレワークや短時間勤務、フレックスタイム制の活用などを促すことで、時間的・場所的な制約なく柔軟に働ける環境を整備していくべきである。さらに今後は、高齢者の職業選択の幅をより一層広げるべく、各種職業訓練を実施したり、独立開業支援を行ったりしていくことも必要となろう。

　　　第二に、健康不安の解消である。高齢者が生き生きと暮らしていくためには、**心身の健康を維持し、ひいては健康寿命の延伸につなげていくことが不可欠である**④。しかし、足元では健康上の問題に不安を抱えている高齢者の割合は高い。そこで、高齢者の介護予防や生活機能の維持・向上を図っていくために、健康づくりの機会を提供していくべきである。例えば、誰でも手軽に取り組める運動の紹介や健康づくり教室への参加の呼びかけなどが考えられる。また、個々の高齢者の特性に応じて生活の質の向上が図られるよう食育を推進していくことも大切である。具体的には、身体や環境に合わせ、口腔機能を維持・管理し、必要な栄養素をバランスよく摂ることを促していくことが考えられる。

 　　　第三に、交流の機会の提供や見守り体制の整備である。近年、家族構成の変化に伴い、**高齢者世帯は夫婦だけ、もしくは単身世帯がほとんどである**⑤。特に単身世帯の高齢者は、身近に頼る人がおらず、地域とのつながりを上手く持てないと孤独・孤立に陥りやすい。そ

④ **心身の健康を維持し……不可欠である**

年齢とともに心身の活力が低下し、要介護状態となるリスクが高くなった状態を「フレイル」という。フレイルを予防することは、その先にある要介護状態の予防につながり、健康寿命を延ばすことに資するんだ。

⑤ **高齢者世帯……ほとんどである**

2050年には一人暮らしの高齢者世帯が「全世帯の2割」を上回るとされている。

こで、高齢者が参加しやすい地域活動を企画、実施し、高齢者の孤独・孤立を防いでいくことが必要である。例えば、趣味のサークルやボランティア活動、生涯学習などの機会を設け、高齢者の精神面の充実を目指していくことが考えられる。一方、孤独・孤立に陥ってしまった高齢者に対しては、アウトリーチ型[6]の支援を推進してくことが望ましい。例えば、水道・電気・ガスの検針員や新聞配達員、郵便事業者、宅配業者などの民間と連携し、異変に気づいたときに報告を入れる仕組みを整えたり、民生委員や町内会・自治会などが役割を決めて自宅に定期訪問したりすることが考えられる。このような取組みを通じて、孤独・孤立からの脱却を図りつつ、地域活動への参加へと徐々につなげていくことができれば理想的である。

　　高齢化は、少子化と相まって、今後もさまざまな影響をもたらすと考えられる。そこで行政は、高齢化の流れを前提に、高齢者が生き生きと暮らせる社会をつくるために、民間をはじめとする各層との協力を得て、上記の取組みを継続的に行っていくべきである。

（1728 文字）

ここでも使える！
テーマ 12
孤独・孤立対策

ここでも使える！
テーマ 21
地域コミュニティ

[6] **アウトリーチ型**
自ら SOS を発することができない人に向けて、積極的に必要なサービスや情報などを届けることをいう。

ここがPOINT

生きがいを創出するためには、孤独・孤立はぜひとも避けたいところ。交流の機会を増やしたり、見守り体制を整備したりする中で、この問題に地域が一丸となって立ち向かっていかなければならないね。

オススメ参考資料

☑ **地域包括ケアシステム（厚生労働省）**
厚生労働省では、高齢者が可能な限り住み慣れた地域で自分らしい暮らしを続けられるよう、地域の包括的な支援・サービス提供体制（地域包括ケアシステム）の構築を推進しているよ。
▶ https://www.mhlw.go.jp/stf/seisakunitsuite/bunya/hukushi_kaigo/kaigo_koureisha/chiiki-houkatsu/

☑ **高齢者等の見守りガイドブック（東京都福祉保健局）**
誰もが安心して住み続けることができる地域社会を実現するために東京都が作成したガイドブック。高齢者の見守りについて知りたい人にとっては必見。見守りネットワークにおける各主体の役割について深く学べる資料となっているよ。
▶ https://www.fukushihoken.metro.tokyo.lg.jp/kourei/koho/mimamoriguidebook.files/guidebook4.pdf

☑ **食育（埼玉県本庄市）**
食育に関する情報が一元化されているページ。年代別の食育に分けて解説されているので、成人期、高齢期でどのようなことが必要なのかを理解できる。
▶ https://www.city.honjo.lg.jp/soshiki/hoken/kenko/tantoujouhou/syokuiku/index.html

テーマ 09 | 介護問題

頻出度 ★★★

（例題）

　現在、少子高齢化や核家族化に伴い、介護保険制度上の要支援・要介護認定者数が増加している。このような現状を踏まえ、介護をめぐる課題を挙げ、それに対して行政はどのような取組みをしていく必要があるのか、あなたの考えを述べなさい。

ここからSTART

介護をめぐる課題を書くにあたっては、いわゆる「2025年問題」に触れるといいかもしれないね。団塊の世代が全て75歳以上の後期高齢者になるのが2025年だからこのように呼ばれているんだ。介護や医療に対するニーズが一気に高まる時代に突入するということを意味しているよ。

合 格 答 案 例 の 構 成

導入部分

介護施設や介護人材の不足、介護離職の増加が課題

取組み①

介護施設や介護人材の不足
- 介護施設の不足
  - → 民間やNPO、社会福祉法人が運営する介護付き有料老人ホームやグループホームなどの受入れを拡大
  - → 地域包括ケアシステムの構築による在宅介護の充実（訪問介護やデイサービスを充実）
  - → 地域包括支援センターなどの身近な相談窓口を充実
- 介護人材の不足
  - → 新たな介護人材を育成、介護職のやりがいを発信することや介護職員の処遇を改善
  - → AIや介護ロボットなどのICT技術の活用

取組み②

介護離職の増加
- 対企業
  - → 介護をする従業員に対する配慮を呼びかけていく必要（フレックスタイム制やテレワークの推奨）
  - → 「両立支援等助成金・介護離職防止支援コース」の利活用を促す
  - → 仕事と介護の両立支援に積極的に取り組む企業を表彰・認定
- 対従業員
  - → 法律上、既に整備されている介護をめぐる諸制度を知らせていく（介護休業、介護休暇の半日取得、所定外労働の制限など）

まとめ

介護は誰もが経験する可能性のある身近な問題

合格答案例

介護保険制度[1]における要支援・要介護認定者数は、2000年4月の制度開始以来、増加の一途をたどり、特に、要介護度別に見ると、軽度な認定者の増加幅が大きくなっている。介護をめぐっては、介護施設や介護人材の不足による介護難民の発生や、介護離職の増加などが課題として挙げられる。団塊の世代が全て75歳以上の後期高齢者となる2025年以降、これまで以上に介護ニーズが飛躍的に高まることが予想される。このような中で、行政はこれらの課題に対してどのような取組みをしていく必要があるのか。以下具体的に述べる。

第一に、介護施設の不足に対しては、民間やNPO、社会福祉法人が運営する介護付き有料老人ホームやグループホームなどの受入れを拡大していく必要がある。というのも、公的施設である特別養護老人ホームを増設するのには限界があるからである。また、地域包括ケアシステムの構築により在宅介護の充実[2]を図ることも大切である。具体的には、ホームヘルパーが要介護者等の自宅を訪問し、ケアプランに沿ったケアを行う訪問介護や日帰りの介護サービスであるデイサービス（通所介護）を充実させることが挙げられる。加えて、地域包括支援センターなどの身近な相談窓口を充実させ、高齢者が健やかに住み慣れた地域で暮らしていけるような環境づくりを継続して行っていく必要がある。

一方、**介護人材の不足[3]**に対しては、新たな介護人材を育成していくことが必要だ。そのため、介護職のやりがい

---

[1] 介護保険制度

介護保険制度の被保険者は、65歳以上の者（第1号被保険者）と40〜64歳の医療保険加入者（第2号被保険者）だよ。介護認定審査会の要介護認定を受けると介護サービスを受けられるんだ。詳しくは「オススメ参考資料」で確認しよう。

[2] 在宅介護の充実

ただ、この場合はいわゆる「老老介護」や「虐待防止」にも配慮が必要だろう。介護者側の負担を軽減する方向で書くのもありだね。

[3] 介護人材の不足

厚生労働省の推計だと2040年度の介護職員は約57万人不足するらしい。

を発信することや介護職員の処遇を改善していくことが求められる。特に介護の現場は、賃金水準が低く、勤務時間も不規則で、力仕事が多い、との印象を持たれているため、**賃金アップ**[4]や柔軟なシフト体制の確立などが今後も課題となろう。これらを実現できれば、介護職員の定着率の向上にもつながるのではないだろうか。また、今後は、AIや介護ロボットなどの ICT 技術を活用し、労働生産性をあげて作業の負担を軽減していくことが必要だ。機械にできることは機械に任せ、介護職員は対人関係を中心とした業務に専念できる環境を作っていくのである。さらに、介護人材の不足を補い、多様化する介護ニーズに応えるため、**外国人の受入れ拡大**[5]も併せて行っていかなければならない。その際、本人の意向に合わせて介護福祉士の取得などさらなるスキルアップを目指せるよう、日本語や介護の学習サポートを充実させていくことが求められる。

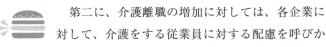
　　　　　第二に、介護離職の増加に対しては、各企業に対して、介護をする従業員に対する配慮を呼びかけていく必要がある。というのも、経験を積んだ企業の有能な人材が、**仕事と介護の両立**[6]に悩みを抱え離職してしまうことは、企業にとって大きなマイナスとなるからだ。そこで、心身ともに追い込まれる従業員が増える前に、仕事と介護の両立支援の取組みをはじめることが大切なのである。例えば、フレックスタイム制やテレワークの推奨により、介護をする従業員にやさしい柔軟な働き方の導入を促していくことや、介護をオープンにできる職場を作っていくよう普及啓発を通じて呼びかけていくことが考えられる。既に中小企業事業主向けには職業生活と家庭生活の両

[4] 賃金アップ

介護報酬を引き上げると介護保険料や利用者負担の増加につながる。だから、今後は公費を投入することも視野に入れていくべきだろう。

[5] 外国人の受入れ拡大

外国人労働者の活用は補足的な位置づけにするとよい。

[6] 仕事と介護の両立

最近は無償で家族を介護する 18 歳未満の子どもを支援する取組みに光が当たっている。このような子どもは「ヤングケアラー」と呼ばれ（テーマ 7 参照）、教育機会の確保や健やかな成長との両立が課題となっている。埼玉県はヤングケアラーを含む介護する人全般を支援するための「ケアラー支援条例」を全国で初めて制定したよ。

立支援に取り組む事業主に対して助成金を支給する「両立支援等助成金・介護離職防止支援コース」7 が用意されているため、この制度の活用を促すことで、労働者の雇用の安定を図っていくことが大切である。また、仕事と介護の両立支援に積極的に取り組む企業を表彰・認定する取組みも有効であろう。

　一方、企業で働く従業員に対しても法律上既に整備されている介護をめぐる諸制度を周知していくことが求められる。介護休業や介護休暇の半日取得、所定外労働の制限などの諸制度は言葉としては知っていても、要件や手続を理解していないがゆえに、検討しないまま離職に踏み切る人も多いと聞く。そこで、行政は相談窓口や広報などを通じて、諸制度の説明を丁寧に行っていくことが大切だ。

　　　　　介護は誰もが経験する可能性のある身近な問題である。それゆえ、介護者が抱える介護の悩みや不安、経済的負担を社会で分担しあう相互理解・相互扶助の考えを広く浸透させていく必要がある。誰もが自立した自分らしいライフスタイルを維持・継続していけるよう、さまざまな主体と連携して今後の支援のあり方を模索していかなければならない。

（1773 文字）

ここがＰＯＩＮＴ

取組み①の中を２つに分けるというのがポイントかな。「施設」と「人材」を一緒に書くのは無理があるからね。そして、せっかく取組み①を２つに分けたのだから、取組み②も２つに分けられると見た目的にいいよね。そこで、今回は「対企業」と「対従業員」に分けてみたんだ。構成に正解はないけど、あくまでも意図的に！

オススメ参考資料

☑ **介護保険制度の概要（厚生労働省）**
介護保険制度の概要が全て一元的にまとまっているページだ。概要とはいえ、かなり細かいことまで記載されているので、これだけ読んでおけば知識的には申し分なしだ。
▶ https://www.mhlw.go.jp/stf/seisakunitsuite/bunya/hukushi_kaigo/kaigo_koureisha/gaiyo/index.html

☑ **東京都介護予防・フレイル予防ポータル（東京都）**
「フレイル」とは、年齢とともに心身の活力が低下し、要介護状態となるリスクが高くなった状態をいう。このフレイルを予防することで要介護状態の予防や健康寿命の延伸につながる。東京都はこのフレイル予防に大切なこととして、「栄養」「体力」「社会参加」、それに「口腔」の"３プラス１"を挙げている。
▶ https://www.fukushihoken.metro.tokyo.lg.jp/kaigo_frailty_yobo/index.html

☑ **仕事と介護の両立 ～介護離職を防ぐために～（厚生労働省）**
厚生労働省のHPでは、介護休業制度等の周知を行う等の対策を総合的に推進している。特に「介護で仕事を辞める前にご相談ください」というページがわかりやすいね。介護休業制度等の概要がまとめられているよ。
▶ https://www.mhlw.go.jp/stf/seisakunitsuite/bunya/koyou_roudou/koyoukintou/ryouritsu/index.html

テーマ 10 | 人口減少社会

例題

　現在、日本各地で人口減少が進んでおり、今後も減少傾向が続くことが予想されている。人口減少が社会に及ぼす影響について述べ、〇〇県（〇〇市など）が持続的に発展していくために、今後、行政としてはどのような取組みを行っていく必要があるか、あなたの考えを述べなさい。

ここからSTART

人口減少の現状・現況→人口減少が社会に及ぼす影響という流れをしっかりと書くことが大切だ。特に影響は、複数触れたいね。

合 格 答 案 例 の 構 成

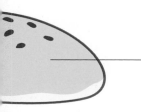

導入部分

人口減少の現状・現況
人口減少が社会に及ぼす影響 → 地域の産業や文化が衰退、地域コミュニティが崩壊、行政サービスの停滞

取組み①

人を外部から呼び込むための取組み
- Uターン → 地域への愛着を醸成する通学路の計画、地域の人や自然と触れ合う機会を増やすなど
- Iターン → 自然や食をはじめとする県の魅力を一層高めていく、住まいや雇用、子育てなどの生活全般に付加価値をつけていく

取組み②

少子化に対する取組み
- 結婚支援 → 出会いの機会を提供、新婚新生活を応援するための経済的支援
- 妊娠・出産支援 → 企業に対して柔軟な働き方の導入を呼びかけ、マタニティマークの普及啓発を行う
- 子育て → 男性の育児休業取得率の向上を図り、積極的な育児参加の気運を作り出していく

取組み③

行政の効率化に向けた取組み
- デジタル化のより一層の推進
  → セキュリティ対策を強化することやデジタルディバイドの解消に配慮していくことなどが課題

まとめ

急激な人口減少を回避しながら、効率的な行政サービスの提供につなげていく

合格答案例

 　　　現在、わが国の人口は減少傾向にあり、**東京都・沖縄県以外の全ての道府県において人口減少が確認されている[1]**。人口減少が社会に及ぼす影響としては、担い手不足により、地域の産業や文化が衰退したり、地域コミュニティが崩壊したりすることが考えられる。また、行政サービスの停滞をもたらし、県民の生活に支障が及ぶことも考えられる。このような現状を踏まえ、○○県が持続的に発展していくために、今後、行政としてはどのような取組みを行っていく必要があるか。以下具体的に述べる。

 　　　第一に、人を外部から呼び込むための取組みである。○○県が持続的に発展していくためには、適正な人口の確保が欠かせない。そこで、**都市部から県内に人を還流させることが必要となる[2]**。具体的には、UIターンを促進し、移住・定住につなげていくべきである。まず、Uターンについては、**人生の成長過程におけるさまざまな体験が地域への愛着に大きな影響を与えることが明らかとなっている[3]**ため、子どもの頃の地域への愛着醸成がUターン意識や地域活動への参加意識の向上につながる。そこで、地域への愛着を醸成する通学路の計画や地域の人や自然と触れ合う機会を増やすなどの施策が有効である。一方、Iターンについては、自然や食をはじめとする県の魅力を一層高めていくことや、住まいや雇用、子育てなどの生活全般に付加価値をつけていくことが求められる。また、新生活を応援するために、引越しにかかる費用を助成したり、移住コーディネーターによる手厚いサポー

[1] 東京都・沖縄県以外の……確認されている

2023年の1年間で人口が増えたのは東京都と沖縄県だけだったんだ。東北地方の人口減少は特に深刻…

ここでも使える！
テーマ24
U・Iターン戦略

ここでも使える！
テーマ25
地域創生

[2] 都市部から県内に人を還流させることが必要となる

政府は「デジタル田園都市国家構想総合戦略」で、地方への人の流れをつくることを重視しているよ。

[3] 人生の成長過程における……明らかとなっている

ほかにも、文化・レジャー施設、飲食店などが充実していることも地域への愛着につながるとされているよ。

トを用意したりするなど、充実した生活支援制度を設けることも必要だ。

第二に、少子化に対する取組みである。将来の担い手を増やすことが持続的に発展していくためには必要となるからである。そこで、結婚、妊娠・出産、子育てというライフステージに応じたきめ細かな支援を通じて、誰もが安心して子どもを産み育てられる環境を作っていくことが求められる。まず、結婚支援として、出会いの機会を提供するだけなく、新婚新生活を応援するための経済的支援をも併せて行っていく。次に、妊娠・出産支援として、企業に対して柔軟な働き方の導入を呼びかけるとともに、社会に対して**マタニティマーク**4の普及啓発を行うことで、妊産婦にやさしい環境づくりに努めていくことが求められる。さらに、子育てについては、男性の育児休業取得率の向上を図り、積極的な育児参加の気運を作り出していくことが必要だ。保育サービスや幼児教育の充実もより高いレベルで目指していかなければならない。

第三に、行政の効率化に向けた取組みである。人口減少が進む中でも質の高い行政サービスを提供し続けることが持続的な発展につながるためである。そこで、DXを含めたデジタル化のより一層の推進を図っていくことが求められる。具体的には、行政手続をオンライン化にすることで、時間、場所を問わず、住民に適切なサービスを提供できる体制を整えていくことが大切である。ただその際、セキュリティ対策の強化やデジタルディバイドの解消などには別途考慮が必要となる。そこで、セキュリティ対策については、なりすましや個人情報の流出を防止

ここでも使える！
テーマ03
少子化対策

4 マタニティマーク
妊産婦が交通機関等を利用する際に身につけ、周囲が妊産婦への配慮を示しやすくするマークだよ。

ここでも使える！
テーマ14
行政の効率化

ここでも使える！
テーマ36
DXの推進

するべく、**ガイドライン**⑤の遵守や盤石な認証システムの確立など情報を保護する措置を講じていかなければならない。一方、デジタルディバイドの解消については、特に高齢者が情報弱者となりやすいため、高齢者にも使いやすいシンプルな端末を使用することや、使用方法を説明するための専門窓口やコールセンターを設けることなどが求められる。

　このように、○○県の人口減少が見込まれる中で持続的に発展していくためには、急激な人口減少を回避しながら、効率的な行政サービスの提供につなげていく必要がある。そのため、住民や企業と協働してより一層地域の魅力を高め、同時にデジタルへの移行を進めていくことが求められる。

（1581 文字）

⑤ **ガイドライン**
個人情報の保護に関する法律についてのガイドライン（行政機関等編）というものがあるよ。

ここがPOINT

今回の設問では、「〇〇県が持続的に発展していくため」の取組みを聞かれている。したがって、単に人口増加の取組みだけを聞いているのではない点を意識すべきだね。ご自身が挙げた取組みがなぜ持続的な発展のために必要なのかを示しながら論を展開することがポイントだよ。

オススメ参考資料

☑ **いしかわ移住パスポート（愛称：Ｉパス）(石川県)**

石川県への移住希望者と石川県に移住してから１年以内の人に対して、協賛事業者から各種割引サービスや特典を提供する「いしかわ移住パスポート（Ｉパス）」制度を用意しているよ。

▶ https://iju.ishikawa.jp/ipass/?utm_source=yahoo&utm_medium=cpc&utm_id=ipass&yclid=YSS.1001039199.EAIaIQobChMIz_jLmMHnhQMVzdgWBR0t0QtYEAAYAiAAEgKva_D_BwE

☑ **地域への愛着や誇りを醸成する取り組み（山梨県南アルプス市）**

南アルプス市では、地域への愛着や誇りの醸成については、まちづくり全体の中で取り組んでいくことが必要という認識から、市民参加型のプロモーション活動を行っている。

▶ https://www.city.minami-alps.yamanashi.jp/docs/promo05.html

☑ **少子化対策について（静岡県）**

県の少子化の現状や、少子化対策の実施計画や調査結果等、さらには少子化対策事業まで、すべて一元的にまとまっているページ。静岡県子育て支援ポータルサイト「ふじさんっこ子育てナビ」のリンクも貼ってあるよ。

▶ https://www.pref.shizuoka.jp/kodomokyoiku/kodomokosodate/shoshika/1002868/index.html

テーマ 11 | 格差社会

頻出度 ★★

例題

　現在、我が国ではさまざまな格差が指摘されている。あなたが考える格差を説明し、その格差を解消するために行政として取り組むべきことは何か、具体的に述べなさい。

ここからSTART

格差の種類を挙げて説明することがまずもって難しい。挙げたものについては、解消策を書かなければならないので、自分の力量に応じて格差として何を挙げるのかを考えてもらいたい。無理は禁物だ。

合 格 答 案 例 の 構 成

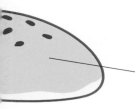

導入部分

格差は3つ
- 経済格差 → 説明
- 情報格差（デジタルディバイド）→ 説明
- 地域間の格差 → 説明

取組み①

経済格差の解消
- 若年層の貧困問題の解消
- 税・社会保障制度の持続可能性の確保

取組み②

情報格差（デジタルディバイド）の解消
- 各層に対するデジタル機器の利用促進に取り組む
  - → 高齢者を対象とする講習会を開催する
  - → 障がい者や外国人などに対する支援も必要

取組み③

地域間の格差の解消
- 人口格差をなくすための取組みが必要
  - → 移住・定住を促進

まとめ

日々の社会調査を通じて、格差の実態を把握し、地域との協力を得ながら、各取組みを継続

合格答案例

　　私が考える格差とは、3つある。まず、経済格差である。所得格差を測る指標の一つに**ジニ係数**[1]がある。これは、所得の分布について、完全に平等に分配されている場合と比べて、どれだけ偏っているかを、0から1までの数値で表したものである。仮に完全に平等な状態であれば、ジニ係数は0となり、1に近くなるほど不平等度が大きくなる。近年、人口構成の高齢化、単身世帯化が進む中で、**ジニ係数で見ると緩やかに格差が拡大してきている**[2]。次に、情報格差（デジタルディバイド）である。これはインターネットやパソコン等のICTを利用できる者と利用できない者との間に生じる格差である。若者に比べ高齢者はICTをうまく使いこなせない傾向にあるため、必要な情報にアクセスしづらく、生き方の選択が狭まってしまったり、孤立してしまったりする可能性が高まる。さらに、地域間の格差である。我が国は人口の偏在からくる地域間格差の大きい国とされる。都市部と地方部との間では、所得格差だけでなく、医療や交通、住宅などの面での格差が見られる。では、これらの格差を解消するために、行政として取り組むべきことは何か。以下具体的に述べる。

　　第一に、経済格差の解消については、若年層の貧困問題の解消と税・社会保障制度の持続可能性の確保に取り組むべきである。近年、働き方の多様化の影響で、若年層において正規・非正規労働の分化が生じており、これが格差拡大の一因となっている。そのため、若者が安定した職を得られるように、就労支援に力を入れてい

[1] [2] ジニ係数
厚生労働省が発表した「所得再分配調査」の結果では、ジニ係数は、当初所得で0.5700（前回比0.0106ポイント増）となり、過去最大となっている。

くと同時に、同一労働・同一賃金に対する取組みを強化していくことが求められる。一方、税・社会保障を通じた所得の再分配は格差を是正する効果を持つ[3]。実際のところ、近年も再分配後のジニ係数はほぼ横ばいで推移しており、税・社会保障制度が再分配機能を発揮していることがわかる。そこで、税や年金、医療、介護などの社会保障を持続可能なものとするために、給付・負担の両面において公平な制度へと随時改革していくことが必要である。

　第二に、情報格差（デジタルディバイド）の解消については、各層に対するデジタル機器の利用促進に取り組むべきである。現在、日本のスマートフォンの保有率が 78.9% であるのに対して、70 代のスマートフォンの保有率は 64.4%、80 歳以上のそれは 28.5% と全体の保有率より低い[4]。一方、スマートフォンを持っていても、機能を上手く使いこなせていないケースやリテラシー不足により詐欺被害に巻き込まれるケースも見られる。そこで、デジタル活用の推進とリテラシー向上を目的として、高齢者を対象とする講習会を開催することが必要だ[5]。民間や NPO 法人などと連携し、若者が高齢者に教えたり、質問に答えたりする場を提供するなど、国民運動としての取り組んでいくことが求められる。また、情報に乗り遅れやすい障がい者や外国人などに対する支援も忘れてはならない。デジタル機器の購入から操作法の習得まで、切れ目のないサポートをしていく必要がある。いずれにしても、政府が目指す「誰一人取り残さない」デジタル社会の実現のために、地域の実情にあわせて格差解消に向けた積極的な取組みが求められる。

[3] 税・社会保障を通じた……効果を持つ

当初所得から税金や社会保険料を差し引いて、年金や医療などの社会保障給付を加えると「再分配所得」のジニ係数が出てくるよ。つまり、社会保障制度などによって格差が是正されるんだ。

ここでも使える！
テーマ 08
高齢化

[4] 日本のスマートフォンの保有率が……全体の保有率より低い

総務省の「令和 5 年通信利用動向調査」の結果に基づいているよ。最新データが出たら自分で書き換えよう。

[5] 高齢者を対象とする講習会を開催することが必要だ

渋谷区では、高齢者のデジタルディバイドを解消するため、スマートフォンを持っていない高齢者に対して、2 年間無料で貸し出し、機器やアプリの活用を促していたよ。

第三に、地域間の格差の解消については、格差を生む一番の要因である人口格差をなくすための取組みが必要である。人口格差が経済活動の変化を生み、格差を広げたり、逆に是正したりすることにつながるためである。そこで、人口水準を維持するため、移住・定住を促進していくことが求められる。各自治体が持つ資源を有効活用し、魅力を内外に発信し続けていくことが大切だ。特に、雇用の創出と住まいの確保は移住・定住の必須条件である。雇用の創出については、地元産業の育成や企業誘致、起業・ベンチャーに対する支援など、地域一体となってやりがいをもって働き続けられる環境を整備していかなければならない。一方、住まいの確保については、空き家バンクを活用し、住まいを提供するとともに、その際にかかる残置物撤去・リフォーム費用を一部助成することで、スムーズな移住につなげていくことが大切だ。

ここでも使える！
テーマ 10
人口減少社会

ここでも使える！
テーマ 24
U・Iターン戦略

ここでも使える！
テーマ 25
地域創生

　多様化が進む我が国において、今後も新しい格差が社会問題化することは必至である。行政としては、日々の社会調査を通じて、格差の実態を把握し、地域の協力を得ながら、各取組みを継続して行っていかなければならない。

（1791 文字）

ここがPOINT

経済格差の解消は、具体的に書こうと思えば無限に書ける。答案作成上は、あえて抽象的に書く方が上手くまとまるよ。デジタルディバイドの解消については、高齢者だけでなく、障がい者や外国人にも触れられるといいね。包摂的な解消策を講じることが大切という印象にしたい。

オススメ参考資料

☑ **TOKYO スマホサポーター（東京都）**
日頃からスマホを使い、その便利さを知る人が、デジタルに不慣れな方に寄り添い、困りごとの解決に一緒になって取り組む事業だよ。身近な地域での支え合いにつなげることが狙いだ。
▶ https://sumasapo.metro.tokyo.lg.jp/

☑ **高齢者デジタルデバイド解消事業（東京都渋谷区）**
渋谷区は、デジタル機器の利用を促進し支援することにより、高齢者のデジタルデバイド解消事業に取り組んでいた。生活の質（QOL）の向上を目指すことが目的。
▶ https://www.city.shibuya.tokyo.jp/kenko/koreisha-seikatsu/
koreisha-digital-divide/dejitarudebaidokaisyou.html

☑ **移住しませんか？福島県楢葉町へ（福島県楢葉町）**
楢葉町への移住を考える８つのポイントがまとまっている。移住支援金や起業支援、子育て支援など、若者に刺さる魅力的なサービスを多数提供している。挑戦を応援している姿勢がHPからも伝わってくるね。
▶ https://try-naraha.jp/ijyu2023/?utm_source=yahoo&utm_
medium=search&utm_campaign=202404&yclid=YSS.1001314141.
EAIaIQobChMIn6WpnpelhgMVpcsWBR2_VwkQEAAYBCAAEgIVRfD_BwE

テーマ 12 孤独・孤立対策

頻出度 ★★★

例題

　近時、社会の変化を踏まえ、日常生活や社会生活において孤独・孤立を覚えることにより、心身に有害な影響を受けている状態にある者が増加傾向にある。このような現状を踏まえ、孤独・孤立のない社会を築いていくために、行政はどのような取組みを行っていくべきか、あなたの考えを述べなさい。

＼ ここからSTART ／

導入部分では、孤独・孤立が引き起こす問題を挙げたい。そして、人生のあらゆる場面において、誰にでも起きうる現象である点に留意しよう。

合 格 答 案 例 の 構 成

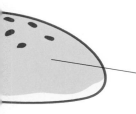

導入部分

現状・現況
- 誰にでも起きうる問題 → 社会全体で対応
- 健康被害や孤独死、自殺など、老若男女問わずさまざまな問題を引き起こす

取組み①

予防の取組みを行っていくべき
- 普及啓発を通じた予防の観点が重要
- 社会福祉や公的扶助をはじめとする施策にアクセスしやすくする取組み
  - → 電話やSNS等による24時間対応の相談体制の整備、各種支援施策につなぐワンストップの相談窓口を整備
  - → 一元的な情報発信

取組み②

孤独・孤立の状態から脱却するための取組みを行っていくべき
- 社会とのつながりや他者との関わりを持てる居場所をつくっていく
  - → 趣味やスポーツなどを通じた出会いの場、オンライン上の交流の場

取組み③

見守りの体制を整える取組みを行っていくべき
- 当時者や家族の意向や事情を踏まえたアウトリーチ型の支援を推進
  - → 民間と連携、民生委員や町内会・自治会などが担当を決めて自宅に定期訪問

まとめ

官民連携の姿勢で切れ目のない支援体制を整備していく

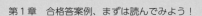

合格答案例

現在、長期化する新型コロナ禍を経て、社会全体のつながりが希薄化し、孤独・孤立の問題がより一層顕在化している。孤独・孤立の問題は、人生のあらゆる場面において、誰にでも起きうる現象であり、社会全体で対応しなければならない課題でもある。これが常態化すると、健康被害や孤独死、自殺など、老若男女問わずさまざまな問題を引き起こす。それゆえ、孤独・孤立の状態となることの予防や**孤独・孤立状態からの早期脱却が大切となる**[1]。では、このような現状を踏まえ、孤独・孤立のない社会を築いていくために、行政はどのような取組みを行っていくべきか。以下具体的に述べる。

第一に、予防の取組みを行っていくべきである。孤独・孤立やそれらから生じ得るさらなる問題に発展しないようにするためには、普及啓発を通じた予防の観点が重要である。しかし、孤独・孤立が発生する要因は人ごとに異なることや、ためらいや恥じらいの感情より当事者が支援を求める声を上げにくいことなどを背景に、誰にも相談することなく孤独・孤立に陥るケースも多い。そこで、声を上げやすい、声をかけやすい環境を整え、社会福祉や公的扶助をはじめとする施策にアクセスしやすくする取組みが求められる。具体的には、**電話やSNS等による24時間対応の相談体制**[2]や各種支援施策につなぐワンストップの窓口を整備し、相談の間口を広げることで確実な支援へと即時につなげていく必要がある。また、当事者や家族へ孤独・孤立に関する支援の情報を網羅的かつタイ

1 孤独・孤立状態からの早期脱却が大切となる

2024年4月から施行されている孤独・孤立対策推進法では、内閣府に特別の機関として、孤独・孤立対策推進本部（首相が本部長）を置き、重点計画の作成等を行うとされている。そして、地方公共団体は、孤独・孤立対策地域協議会を置くよう努めるんだ。

2 電話やSNS等による24時間対応の相談体制

政府は、2023年12月15日午前9時から2024年年1月4日午前9時までの期間において、24時間・通話料無料で利用できる電話相談窓口（#9999）を開設したよ。このような取組みを常設化すると効果的だ。

ムリーに届けられるよう、ポータルサイト・SNSによる継続的・一元的な情報発信に努めていくことも大切だ。プッシュ型の情報発信を行うことで、孤独・孤立に関する情報のアクセス向上につなげていきたい。

第二に、孤独・孤立の状態から脱却するための取組みを行っていくべきである。一度孤独・孤立の状態に陥ってしまうと、やりがいや生きがいを喪失し、当該状態がより深刻化、長期化するおそれがある。そこで、当事者が自発的に社会生活を円滑に営むことができるように、社会とのつながりや他者との関わりを持てる居場所を作っていくことが求められる。例えば、趣味やスポーツなどを通じた出会いの場やオンライン上の交流の場が考えられる。行政としては、運営主体との連携を強め、支援を担う人材確保や養成にも力を入れていくべきだろう。

ここでも使える！
テーマ21
地域コミュニティ

第三に、見守りの体制を整える取組みを行っていくべきである。孤独・孤立が常態化している人の中には、積極的な関わり合いを望まない人もいる。そこで、当事者や家族の意向を踏まえたアウトリーチ型の支援を推進していくことが求められる。例えば、水道・電気・ガスの検針員や新聞配達員、郵便事業者、宅配業者などの民間と連携し③、異変に気づいたときに報告を入れる仕組みを整えたり、民生委員や町内会・自治会などが担当を決めて自宅に定期訪問したりすることなどが考えられる。特に後者は同じ担当者が継続的に訪問することで、時間をかけて信頼関係を築くことができるため、人との関わり合いが苦手な人をも含めたより効果的な支援へとつなげることが可能となる。このように、見守り体制は一つではなく、

ここでも使える！
テーマ08
高齢化

③ 民間と連携し
民間事業者と連携協定を結び、日常業務の中で見守り活動を行うことで、気づきの視野をさらに拡大する取組みが行われているよ。

複数のアプローチを考えていくことが重要である。そして、それぞれの持つ強みを生かしながら役割分担、補完しあうように社会全体を包摂していくことが望ましい。

　　孤独・孤立の問題を解決するためには多面的なアプローチが必要となる。行政としては、孤独・孤立に悩む人を誰ひとり取り残さない社会の実現に向けて、地域と連携して切れ目のない支援体制を整備していかなければならない。

（1475文字）

ここがPOINT

孤独・孤立は高齢者だけの問題ではなく、最近は若者の孤独・孤立も増えている。社会との接点や関係を断ち、生活への意欲を失って「セルフネグレクト（自己放任）」に陥るケースも見られるよ。このような背景をも踏まえて論じられたらよりよい答案になるだろう。

オススメ参考資料

☑ **孤独・孤立対策推進法（内閣官房）**
孤独・孤立対策推進法は、国及び地方において総合的な孤独・孤立対策に関する施策を推進するため、その基本理念や国等の責務、施策の基本となる事項、国及び地方の推進体制等について定めている。
▶ https://www.cas.go.jp/jp/seisaku/suisinhou/suisinhou.html

☑ **孤独・孤立対策（三重県伊勢市）**
伊勢市では、話ができる人や場所（相談機関や集いの場など）を用意したり、働きづらさを抱えた人に対して、就労に向けたチャレンジを後押しするため「いせ就労チャレンジ☆カフェ」を開設したりしている。
▶ https://www.city.ise.mie.jp/kurashi/soudan/kodokukoritu/index.html

☑ **民間企業と連携した見守りネットワーク（東京都品川区）**
品川区では、訪問・宅配職員等の通常業務の中で異変を察知した場合、すぐに区に通報することを取り決めた協定を民間事業者と締結しているよ。本事業における区との連携を検討している企業・団体に向けた呼びかけも行っている。
▶ https://www.city.shinagawa.tokyo.jp/PC/kenkou/kenkou-chiikifukushi/kenkou-chiikifukushi-mimamorinet/hpg000026870.html

テーマ 13 自殺対策

頻出度 ★

（例題）

　我が国の自殺者数は長期的に見ると減少傾向で推移しているが、依然として年間2万人を超える人が自らの命を絶っている。このような現状を踏まえ、自殺が起こる背景について言及し、自殺を防ぐために行政が行うべき取組みについて、あなたの考えを述べなさい。

＼ここからSTART／

自殺の原因・背景は一様ではないので、偏ったことを書かないように気を付けよう。先入観や思い込みで書いてしまうと危険。一度、自殺の動向を自分で調べて分析してみるといいね。

合　格　答　案　例　の　構　成

導入部分

現状・現況
背景 → 健康問題、社会的・経済的問題など

取組み①

自殺予防の普及啓発
- 「自殺予防週間」「自殺対策強化月間」を通じた取組み
　→ 普及啓発グッズを作成、ポスターを展示

取組み②

相談窓口の整備
- 24時間対応の電話相談窓口を用意
- LINEやオンラインチャットなどのより手軽な手段で相談
　できる窓口も併せて用意
- 法律、金融などの専門機関に相談したい人向けの相談窓口
　も作っていく

取組み③

ゲートキーパーの養成
- 各層向けに研修制度を用意し、社会全体で継続的に自殺予
　防に取り組んでいく

まとめ

自殺は個人の問題ではなく、社会が作り出した問題
　→ 生きる支援は社会全体で行っていく

合格答案例

2023年の自殺者数は前年を下回ったものの、若年層の女性や中高年の男性などの自殺者数が増えており、引き続き対策が求められる。自殺が起こる背景には、病気や障害などの健康問題[1]、失業や倒産、多重債務、長時間労働などの社会的・経済的問題、職場や学校、家庭の問題などがある。しかし、自殺はこれらの社会的要因が複合的に絡み合い、心理的に追い込まれた結果起きるものであるため、対策は困難を極める。では、自殺を防ぐために行政が行うべき取組みとは何か。以下具体的に述べる。

第一に、自殺予防の普及啓発である。毎年、国は9月10日から16日までを「自殺予防週間」、3月を「自殺対策強化月間」として、国や都道府県、市町村、関係機関・団体が連携し、自殺予防のための取組みを行っている。そこで、今後ともHPやSNSでの情報発信をはじめ、普及啓発グッズを作成[2]したり、ポスターを展示したりすることにより、多くの人に取組みを知ってもらうよう努めていくべきである。特に3月は自殺者数が増加傾向にあるため[3]、重点的に仕事や生活に不安を感じる人へのメッセージを発し、生きづらさを抱えた人に対する心のケアを強化していくのが効果的である。

第二に、相談窓口の整備である。先の見えない不安や、生きづらさを感じるなどのこころの悩みを相談できる体制を整えることは、その後の医療や福祉サービスをはじめとする適切な対処行動につなげていくために不可欠である。そのため、不安や悩みを打ち明けられ

[1] 健康問題

自殺者の多くは、多様かつ複合的な要因が連鎖する中でうつ病などの精神疾患にかかっていたことが明らかとなっているよ。

[2] 普及啓発グッズを作成

東京都荒川区では、カードやパネル、ポスターの作成など、自殺予防のための普及啓発活動に力を入れているよ。

[3] 3月は自殺者数が増加傾向にあるため

年によって若干の違いはあるけど、概ね3月は自殺者数が増えるんだ。

る場所を行政が積極的に作っていくことが求められる。具体的には、**24 時間対応の電話相談窓口を用意する**④。もっとも、電話での相談に躊躇する人もいることを踏まえ、LINE やオンラインチャットなどのより手軽な手段で相談できる窓口を併せて用意していく必要がある。また、法律、金融などの専門機関に相談したい人向けの相談窓口を設けることで、問題の悪化を防ぎ、自殺リスクの低減を図っていくべきである。

第三に、ゲートキーパーの養成である。ゲートキーパーとは「命の門番」という意味であり、自殺予防について理解し、身の回りの人の悩みや体調の変化に気づき、話を聞き、適切な相談機関につなぐことができる人のことである。自殺の多くは追い込まれた末の死であり、その多くが防ぐことができるものとされている。そこで、地域や職場、家庭など、さまざまな立場の人たちが**ゲートキーパーの役割**⑤を担えるよう各層向けに研修制度を用意し、社会全体で継続的に自殺予防に取り組んでいくことが求められる。それぞれの立場でできることを見つけ、進んで行動を起こしていくことが肝要である。

自殺は個人の問題ではなく、社会が作り出した問題である。それゆえ、生きる支援は社会全体で行っていくことが必要である。行政は、引き続き普及啓発等を通じて誰も自殺に追い込まれることのない社会の実現を目指して取組みを進めていかなければならない。

（1198 文字）

④ **24 時間対応の電話相談窓口を用意する**
埼玉県の「こころの健康相談統一ダイヤル」は 24 時間対応しているよ。

⑤ **ゲートキーパーの役割**
ゲートキーパーに求められる要素は、「気づき」「傾聴」「つなぎ」「見守り」とされているよ。

取組みとしては、実際に行われているものを前提として構わない。たくさんあるけど、一般的なものを「予防」という観点からいくつかに分けて書くのがポイントだ。相談窓口についてはたくさんあるので、自身の受験先のものを挙げられるといいね。

オススメ参考資料

☑ **自殺対策（厚生労働省）**
厚生労働省の自殺対策をすべてまとめたページ。相談窓口、ゲートキーパー、自殺対策の取組みなどの情報をわかりやすくまとめたサイト「まもろうよ こころ」も紹介されている。
▶ https://www.mhlw.go.jp/stf/seisakunitsuite/bunya/hukushi_kaigo/seikatsuhogo/jisatsu/index.html

☑ **ゲートキーパーについて（埼玉県）**
ゲートキーパーについてまとめてあるよ。啓発動画やゲートキーパー研修動画も参考になる。ゲートキーパーになるためには、気づき、声かけ、傾聴、つなぐ、見守る、の5つの点を心がけることが必要とされている。
▶ https://www.pref.saitama.lg.jp/a0705/suicide/gatekeeper.html

☑ **自殺予防対策計画（東京都杉並区）**
杉並区では、2023年4月に杉並区自殺対策計画が改定された（第2次）。区の取組みが分かりやすくまとまっているので、一読あれ。
▶ https://www.city.suginami.tokyo.jp/guide/kenko/kokoro/1035355.html

行政

テーマ 14 | 行政の効率化 | 頻出度 ★★

（例題）

　現在、限られた財源や人員の中でより効率的で質の高い行政サービスを実現するため、行政改革に取り組んでいる自治体は多い。効率的な行政運営とはどのようなものか、そして、それを実現するために行政としてはどのような取組みをしていく必要があるか、あなたの考えを述べなさい。

ここからSTART

行政の効率化について、自分なりの定義を書く必要がある。基本的には無駄を排除 → 質の高い行政サービス、という流れでいいと思うよ。ただ、これが住民の利便性向上に向けられていなければ意味がないね。

合格答案例の構成

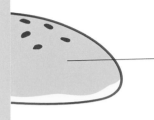

導入部分

「効率的な行政運営」の定義
　→ 住民の利便性や満足度の向上につなげていく

取組み①

民間の力を活用していく取組み
- 民間でも可能な業務を委託する
　→ 窓口業務や総務業務、公金債権回収業務などを民間に委託、施設管理・運営につき、指定管理者制度やPFI方式を活用

取組み②

自治体間の連携の取組み
- 自治体間の連携を福祉や災害、交通、産業、子育てなどさまざまな場面で進めていく

取組み③

DXに向けた取組み
- 利用率を上げるため、本人確認方法の簡略化や操作方法の改善、データ連携基盤の整備などを進めていく
　→ デジタルディバイドの問題は別途考慮を要する

まとめ

職員一人ひとりも民間、住民との信頼構築や新技術に対応できる知識の習得に努めていく

合格答案例

効率的な行政運営とは、現状の組織や業務、施策などを見直し、無駄を排除しつつ、質の高い行政サービスを提供していくことである。そして、ひいては住民の利便性や満足度の向上につなげていかなければならない。近年、各自治体の財政状況は非常に厳しいものとなっているが、反面住民の価値観やニーズは多様化している。このような現状を踏まえ、効率的な行政運営を実現するために行政としてはどのような取組みをしていく必要があるか。以下具体的に述べる。

第一に、民間の力を活用していく取組みである。行政に対する住民の価値観やニーズが多様化する中で、これらに的確に応えていくためには、民間との協働が不可欠である。そこで、民間でも可能な業務を委託することで効率性を生み出し、住民満足度の向上につなげていかなければならない。例えば、窓口業務や総務業務、公金債権回収業務などを民間に委託したり、施設管理・運営につき、**指定管理者制度や PFI 方式を活用したりしていく**[1]ことが考えられる。このように、公共施設の運営に民間のノウハウやアイデアを生かすことで、サービスの質や費用対効果の向上を目指していくことが必要だ。もっとも、このような取組みは住民の信頼によって成り立つものであることから、定期的な第三者による検証と結果の公表を通して、住民に対する情報公開を徹底していくことが求められる。

第二に、自治体間の連携の取組みである。複数の自治体が連携して共同の行政課題に立ち向かう

ここでも使える!

テーマ 15
住民の信頼

[1] 指定管理者制度や PFI 方式を活用したりしていく

指定管理者制度と PFI 方式は制度の対象が違う。指定管理者制度が対象とするのは施設の運営のみであるのに対して、PFI 方式は施設の整備や運営のための資金調達から建設、運営までが対象となるんだ。

ことで、行政の効率化を図りつつ人員的・財政的な負担を軽減することができる。例えば、消費生活行政の分野では各自治体に消費生活センター[2]を設置することが急務となっているが、消費生活相談員を確保することが難しいといった人員的な問題に財源的な問題も加わり、単独での設置が進まない事例も見られる。そこで、自治体間で連携して共同設置を進めていくことによってこの障壁を乗り越えていくことが必要だ。今後このような自治体間の連携を福祉や災害、交通、産業、子育てなどさまざまな場面で進めていけば[3]、より多くの行政課題の解決を見込めるだろう。

　第三に、DXに向けた取組みである。行政のデジタル化をより一層進めていき、職員一人あたりの作業量の削減を図るとともに、住民の利便性向上につなげていくことが必要だ。現在、どの自治体でも申請・通知・納付などの行政手続を中心にオンラインで完結できるよう取組みを進めているが、より利用率を上げるためには、本人確認方法の簡略化や操作方法の改善、データ連携基盤の整備など[4]を進めていくことが求められる。一方、デジタルディバイドの問題は別途考慮を要する。特に高齢者や障がい者などはデジタル化の流れに乗り遅れることが想定されるため、なるべくシンプルな端末を使用したり、コールセンターなどの対応窓口を併設したりして、誰一人取り残さないデジタル化を実現していかなければならない。

　このように、行政はさまざまな角度から効率的な行政運営を目指していくべきである。そのため、職員一人ひとりも民間、住民との信頼構築や新技術に対応できる知識の習得に努めていくことが必要である。

（1291文字）

[2] 消費生活センター

消費生活センターの設置は、都道府県は義務、市町村は努力義務となっているよ。

[3] 福祉や災害、交通、産業、子育てなどさまざまな場面で進めていけば

神奈川県川崎市は、東京都世田谷区とエネルギー施設や災害対策について包括協定を結んでいる。また、神奈川県横浜市とも保育施設の越境利用や協働設置、人材開発について協定を結んで取り組んでいる。

ここでも使える！
テーマ36
DXの推進

[4] 本人確認方法の簡略化や操作方法の改善、データ連携基盤の整備など

検索や受付業務をはじめ、比較的軽易な作業から、順次生成AIを活用していくことも視野に入れていくべきだよ。

ここがPOINT

自治体間の連携は今の流行だよ。いわゆる広域連携というものだ。①施設・インフラ、②職員、③情報システムの３つの経営資源を共同活用する取組みが見られる。やり方としては、一部事務組合や広域連合だけでなく、連携協約、協議会、機関等の共同設置、事務委託などがあるのでご自身で調べてみるとよい。

オススメ参考資料

☑ **地方公共団体における民間委託の推進に関する調査（概要版）（総務省）**
民間委託の実態を分析したもの。概要版とはいえ非常にわかりやすくまとまっている。
▶ https://www.soumu.go.jp/main_content/000446452.pdf

☑ **民間資金等活用事業推進室（PPP/PFI推進室）（内閣府）**
PPP/PFIの概要や現状などの基本的な情報や、PFI関係法令・ガイドライン等、PPP/PFIに関する支援などがまとまっているので、行政の効率化について学ぶためには有益だ。
▶ https://www8.cao.go.jp/pfi/index.html

☑ **広域連携について（千葉県船橋市）**
船橋市は、必要な市民サービスを安定的・継続的に提供していくための１つの方策として、近隣市との広域的な連携に取り組んでいる。広域連携のメリット、仕組みや方法などがまとまっているので、サクッと理解したい人向け。
▶ https://www.city.funabashi.lg.jp/shisei/keikaku/004/p002045.html

テーマ 15 | 住民の信頼

例題

近年、行政ニーズが多様化する中で、行政活動に対する住民の不信が実務的な課題になっており、住民の信頼獲得がますます重要になってきている。このような現状を踏まえ、行政が住民との信頼関係の構築を推進していくために取り組むべきことは何か、あなたの考えを述べなさい。

ここからSTART

住民の信頼獲得が必要な理由や背景を考えていくのが最初。意外と書きにくいので、書き方を決めておこう。

合 格 答 案 例 の 構 成

導入部分

行政の活動を円滑に進めていくためには、住民の信頼獲得が不可欠
- 一度低下した信頼を取り戻すことは容易でない
  - → 行政にとって住民の信頼獲得は緊要な課題

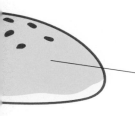

取組み①

住民の意見の集約
- 住民参加のプロセスを設け、住民の求めているニーズの的確な把握に努める
  - → アンケートによる聞き取り調査や住民向けのシンポジウムの開催、パブリックコメントの実施

取組み②

徹底した情報公開
- オープンデータ化
  - → 常に住民からのアクセスが可能な状態にしておく

取組み③

説明責任を果たす
- 政策の内容はもちろん、実施した理由や根拠、メリット、デメリットなどを明らかにし、住民の納得を得られるように努めていく
- ガイドライン等を制定、内部研修を実施

まとめ

住民の行政に対する理解と信頼の確保へとつなげていく

合格答案例

行政の活動を円滑に進めていくためには、住民の信頼獲得が不可欠である。なぜなら、住民が行政を信頼していないと、住民は、行政の提案する活動に疑いの目を向け、行政に協力することに躊躇するようになるからである。住民の不信は行政機能の停止をももたらしかねない。そして、これは何も個人情報の不適切な取扱いや公務員の不祥事などだけでなく、不透明な政策形成過程や住民ニーズと合致しない政策実施などによってももたらされる。一度低下した信頼を取り戻すことが容易でないことを考えると、行政にとって住民の信頼獲得は常に念頭におかれるべき緊要な課題と言える。では、行政が住民との信頼関係の構築を推進していくために取り組むべきことは何か。以下具体的に述べる。

第一に、住民の意見の集約である。行政の提供するサービスは、住民のニーズに沿ったものでなければならない。そこで、政策形成にあたって住民参加のプロセスを設け、住民の求めているニーズの的確な把握に努めるべきである。例えば、アンケートによる聞き取り調査や住民向けのシンポジウムの開催、パブリックコメント[1]の実施などが考えられる。今後は、さらに一歩進めて、パブリックインボルブメント[2]を各方面で進めていくことが求められる。これは、計画決定段階から住民・関係者等の意見を広く募る手法で、幅広い合意形成を得ながら事業を進めていけるため、住民満足度の高いサービスの提供につながることが期待できる。

[1] パブリックコメント

意見公募手続のことで、命令等を定めるにあたって、事前に広く一般の意見を聞くんだ。

[2] パブリックインボルブメント

略称は「PI」だよ。施策の計画段階から実施段階までのさまざまな段階において、住民の意見を聞き、反映しながら事業を進めていく手法だ。住民参加の一手段と考えてもらえればOKだよ。

第二に、徹底した情報公開である。情報の開示による行政過程の透明化が、社会的な不確実性を低下させ、住民に安心をもたらすと考えられるためである。そこで、政策形成過程について、審議会の議事録や関係団体との意見交換会で扱った資料などを**オープンデータ化**[3]し、常に住民からのアクセスが可能な状態にしておかなければならない。このように、積極的な情報公開と分かりやすい情報提供に努め、住民との情報の共有化を図ることにより、行政運営の透明性を高めていくことが求められる。

第三に、説明責任を果たすことである。企業の経営者が株主に対して説明責任を負うように、住民からの信託を受けて、業務の執行を預かっている行政には、依頼主である住民に対して、政策について具体的に説明する責務がある。そこで、住民に対し、政策の内容はもちろん、実施した理由や根拠、メリット、デメリットなどを明らかにし、できる限り住民の納得を得られるよう努めていくべきである。また、適切な説明責任を果たすためにも、ガイドライン等を策定した上で職員に対して周知・徹底を図るとともに、広聴マインドを醸成するための内部研修を実施していくことも大切である。

多様化が進む社会では、住民の信頼獲得は容易ではない。しかし、今後も上記3点を通じて、住民ニーズの施策・事業への一層の反映を図り、住民の行政に対する理解と信頼の確保へとつなげていく努力を怠ってはならない。

（1197文字）

[3] オープンデータ化
官民データ活用推進基本法で、国と自治体はオープンデータに取り組むことが義務付けられたんだ。このオープンデータへの取組みにより、国民参加・官民協働の推進を通じた諸課題の解決、経済活性化、行政の高度化・効率化等が期待されているよ。

＼ここがＰＯＩＮＴ／

ほかの取組みとしては、「住民と行政の協働」がある。経験や立場、情報源の異なる者同士が、共通の目標に向けて各々の能力や労力、資源などを出し合い、対等な立場で協力して取り組むことにより、信頼が醸成されるんだ。

オススメ参考資料

☑ **市民参画におけるPI（パブリックインボルブメント）について（熊本県熊本市）**

PI（パブリックインボルブメント）の説明一般が書かれているよ。PIの手法についての説明は参考になる。詳しくは「市民参画手続マニュアル（職員用）」を見るとよい。

▶ https://www.city.kumamoto.jp/HpKiji/pub/detail.aspx?c_id=5&id=912&class_set_id=2&class_id=1854

☑ **市民と市政をつなぐ広聴ガイドライン（大阪府大阪市）**

大阪市では、市民の声を基本として市民に信頼される市政を運営するという考えから、全国に先駆けて公聴課を設置し、様々な広聴活動を行ってきた。その具体化が本ガイドラインだよ。一読あれ。

▶ https://www.city.osaka.lg.jp/seisakukikakushitsu/page/0000199350.html

☑ **市民アンケート（埼玉県さいたま市）**

さいたま市では、広聴事業の一環として、市民意識調査を実施している。調査結果がまとまっているので参考までに見てみるとよい。

▶ https://www.city.saitama.lg.jp/006/002/004/index.html

テーマ 16 | カスタマーハラスメント | 頻出度 ★★

例題

　近年、カスハラ（カスタマーハラスメント）が深刻な社会問題となっている。厚生労働省の調査によると、約92.7%の企業が過去3年間に何らかのカスハラを経験しており、その件数は増加傾向にある。このような現状を踏まえ、今後カスハラ対策として、行政はどのような取組みを行っていくべきか、あなたの考えを述べなさい。

＼ここからSTART／

カスハラの定義から入るのがいいだろう。決まった定義はまだないので、自分なりに書ければOKだよ。そして、カスハラにはどんな形態があるのか、どういう弊害があるのかをまとめよう。

合 格 答 案 例 の 構 成

導入部分

カスハラの定義 → 形態
カスハラの弊害

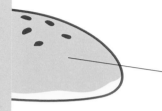

取組み①

対応マニュアルの作成を呼びかけていく
- ガイドラインの策定
- 内部研修の実施も促していく

取組み②

内部体制の整備を求めていく
- 組織的な対応を強化していく必要
  → 名札表記の変更、通話録音サービスの導入など
  → 顧客側の権利を不当に侵害しないように留意

取組み③

相談・報告体制の整備を行っていく
- 対事業者 → 社内窓口の設置を呼びかけていく
- 行政 → 誰もが利用可能な行政窓口を設置する（悩み相談室）

まとめ

行政は普及啓発を通じて認知度を高め、対策の必要性を呼びかけていく

合格答案例

　　カスハラとは、**顧客などから就業者に対する著しい迷惑行為で、就業環境を害するもの**[1]をいう。その形態は、暴言や暴力、セクハラ、過度なクレーム、土下座の強要など多岐にわたる。カスハラは、従業員の福祉を著しく害し、労働環境の健全性を脅かす深刻な問題につながる。実際に従業員が休職や離職に追い込まれることもめずらしくない。また、悪質なカスハラは暴行罪や脅迫罪などの刑法犯に触れる可能性もあり、法的リスクを回避するためにも対策が必要となる。では、今後カスハラ対策として、行政はどのような取組みを行っていくべきか。以下具体的に述べる。

　　第一に、対応マニュアルの作成を呼びかけていくべきである。事業者には安全配慮義務に基づき、従業員をカスハラから守る法的義務がある。しかし、正当なクレームとカスハラの見極めは時として難しい場合もあるため、対応に苦慮することが多い。そこで、行政は**ガイドラインの策定**[2]を通じて、各事業者に対して、カスハラが発生した際の対応手順を明確にしたマニュアルの作成を呼びかけていく。併せて、従業員が適切に対処できるように内部研修の実施も促していくことが必要である。

　　第二に、**内部体制の整備を求めていくべき**[3]である。というのも、従業員が一人でカスハラに対処するには限界があるためである。そこで、組織的な対応を強化していく必要がある。例えば、フルネームから名字のみへの名札表記の変更や証拠確保のための通話録音サー

[1] 顧客などから就業者に対する著しい迷惑行為で、就業環境を害するもの

東京都では、2024年10月にカスハラ防止条例が成立した。都は従業員の保護につながる具体策などを示したガイドライン(指針)を年内に作る。2025年4月から施行されるよ。

[2] ガイドラインの策定

厚生労働省は「カスタマーハラスメント対企業マニュアル」を作成し、企業に対してカスハラ防止策を提供しているよ。

[3] 内部体制の整備を求めていくべき

内部体制の整備は、「第一」の中でまとめて論じることも可能だよ。その場合は、「第二」に消費者教育の強化を書くとよい。適切な顧客行動についての啓発を行うことが大切だ。サービス業従事者に対する敬意や配慮の重要性を伝えていくことが求められるね。

ビスの導入などが考えられる。また、窓口での対応について
ても上司を同席させ、従業員を一人きりにしない体制をと
ることが大切である。これらの取組みを通じて、カスハラ
を受け入れない姿勢を示していくことが大切だ。もっとも、
本来、正当なクレームは業務の改善やサービス向上につな
がるため、顧客側の権利を不当に侵害しないように留意し
なければならない。

　　　　第三に、相談・報告体制の整備を行っていくべ
きである。カスハラによる被害が拡大しないよう
にするためには、早期発見・早期対応が鍵となる。そこで、
事業者に対して従業員の相談を受け付ける社内窓口の設置
を呼びかけていくべきである。また、誰もが利用可能な行
政窓口の設置・拡充も急がれなければならない。厚生労働
省では既に「悩み相談室」を設けて、カスハラに関する相
談を受け付けている。このような公的機関の窓口は、社内
で相談しにくい場合や対応が難しい場合に機能するととも
に、**弁護士などの専門家を紹介したり、警察への通報につ
なげたりすることもできる**[4]ため、被害拡大を防ぐ有効な
手段となり得る。

　　　　カスハラは新しい概念であるため、社会的な認
知度はまだまだ低く、対応策も定まっていないの
が実情である。そのため、行政は今後とも普及啓発を通じ
て認知度を高め、対策の必要性を呼びかけていく必要があ
る。

（1149文字）

[4] 弁護士などの専門家を紹介したり、警察への通報につなげたりすることもできる

つまり、連携することで法的措置を講じることができるというわけだ。

ここがPOINT

今回は対事業者の取組みをメインで書いてみたけど、設問によっては、行政内部の取組みを聞かれる可能性もある。ただ、①対応マニュアルの作成と②内部研修の実施はどのように問われても書くべき対策なので、自分なりに論証を固めておこう。

オススメ参考資料

☑ **「カスタマーハラスメント対策企業マニュアル」等を作成しました！（厚生労働省）**
厚生労働省は、関係省庁と連携して、カスハラの防止対策の一環として、「カスタマーハラスメント対策企業マニュアル」や、マニュアルの概要版であるリーフレット、周知・啓発ポスターを作成しているよ。
▶ https://www.mhlw.go.jp/stf/newpage_24067.html

☑ **企業や労働者におけるカスタマーハラスメント対策（神奈川県）**
カスハラ対策の取組みに役立つ情報をまとめたページ。カスハラのすべてを知ることができるので、一読あれ。現状分析や対応例などは参考になるよ。
▶ https://www.pref.kanagawa.jp/docs/z4r/cnt/kasuhara.html

☑ **悩み相談室（厚生労働省）**
カスタマーハラスメント、就活ハラスメントのことで悩んでいる人や困っている人が利用できる無料の相談窓口。メール相談だけでなくSNS相談も受け付けているね。
▶ https://harasu-soudan.mhlw.go.jp/

テーマ 17 消費者問題

頻出度 ★★

例題

　昨今、従来の訪問販売や電話勧誘販売に加え、インターネットや SNS を使った消費者被害が増加傾向にある。現代の消費者被害の特徴に触れ、消費者の安心・安全を守るために、行政はどのように取り組むべきか、あなたの考えを述べなさい。

＼ここからSTART／

特徴については、自分のわかる範囲で言及すればよい。匿名性の高いオンライン環境を悪用した手口が増加していることを踏まえたものになっていればなんでも OK だよ。

合格答案例の構成

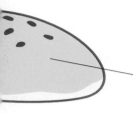

導入部分

現状・現況 → 消費者被害の特徴2つ
- 若者や高齢者を対象とした悪質な手口が社会問題化
- 被害者が適切な対処法を身につけていない

取組み①

相談体制の拡充に取り組む
- 消費生活センターの機能強化を図っていく
→ オンライン相談窓口の設置、AIを活用した24時間対応システムの導入など

取組み②

消費者教育の強化に取り組む
- 啓発活動を通じて、消費者の権利意識と判断力を向上させる
  → 特に、デジタルリテラシーの向上に焦点を当てた教育プログラムを開発

取組み③

関係機関との連携強化に取り組む
- 警察、弁護士会、消費者団体などと協力体制を築き、総合的な対策を講じていく
- データ共有システムの構築
  → 新たな手口にも柔軟に対応できる法整備へとつなげる

まとめ

常に進化する課題に対応できる体制を作っていく

合格答案例

　　昨今、情報通信技術の急速な発展と経済のグローバル化に伴い、消費者を取り巻く環境は大きく変化している。特に、SNSやインターネットを介した取引の普及により、消費者被害の形態は複雑化・多様化の一途をたどっている[1]。具体的には、訪問販売や電話勧誘販売に加え、インターネット取引における詐欺的行為、架空請求、フィッシング詐欺など、多岐にわたる。私が考える消費者被害の特徴は以下の2点である。

　　まず、高齢者や若者を対象とした悪質な手口が社会問題化しているという点である。詐欺や情報通信関連のトラブルは、もともと取引内容や契約手続の理解が不十分な高齢者や若者がターゲットになりやすい。特に、高度化するAIやビッグデータを利用した個人情報の不正利用は、その気づきにくさから被害が拡大する傾向にある。次に、消費者自身が被害に遭った際に必要となる適切な対処法を身につけていないという点である。多くの自治体には消費者が相談できる「消費生活センター」が設置されている。しかし、被害に遭ったにもかかわらず誰にも相談できずに泣き寝入りを強いられるケースは依然として多い。このように被害が被害者の心のうちにとどまる限り、次なる被害を食い止めることはできない。では、このような消費者被害から消費者の安心・安全を守るために、行政はどのように取り組むべきか。以下具体的に述べる。

　　第一に、相談体制の拡充に取り組むべきである。現在、消費生活センターの設置は、**都道府県**

[1] 消費者被害の形態は複雑化・多様化の一途をたどっている

令和6年版の『消費者白書』によると、2023年の消費生活相談件数は90.9万件。通信販売の「定期購入」に関する相談件数が過去最多となったほか、SNSが何らかの形で関連している消費生活相談は引き続き増加傾向にある。

[2] 都道府県では義務付けられているものの、市町村では努力義務にとどまっている

最近は全国で数がどんどん増えているよ。でも、いまだ特に小規模市町村を中心に、設置や消費生活相談員の配置が進んでいない状況もあるようだ。

では義務付けられているものの、市町村では努力義務にとどまっている[2]。また、土日祝日に休みであることが多く、夜間の受付時間も短いため、平日の昼間を忙しく過ごしている者にとっては必ずしも開かれた窓口となっているとは言えない。そこで、今後は消費生活センターの機能強化を図っていく必要がある。例えば、オンライン相談窓口の設置や AI を活用した 24 時間対応システムの導入など、相談しやすい環境を整備していくことが求められる。

 第二に、**消費者教育の強化**[3]に取り組むべきである。近年の成人年齢の引下げに伴い、若者の消費者被害が増えることが予想されている。若者は SNS を通じて知らない人と結びつくことが多く、そのような場で**もうけ話**[4]を持ち掛けられる事例が増えている。また、若者の興味関心のある美容関連のトラブルも後を絶たない。一方、高齢者においてはデジタルリテラシーの低さからネット架空請求や通販、定期購入などの被害に遭うケースが見られる。そこで、行政は、被害を未然に防止するべく、学校教育や地域コミュニティにおける啓発活動を通じて、**消費者の権利意識と判断力を向上させることが重要**[5]である。特に、デジタルリテラシーの向上に焦点を当てた教育プログラムを開発することは喫緊の課題である。SNS などのデジタルプラットフォームを活用し、最新の被害事例や注意喚起の情報を速やかに発信する体制を構築する必要があるだろう。

第三に、関係機関との連携強化に取り組むべきである。消費者被害の拡大を防ぐには、被害発覚後の迅速な対応が不可欠であり、そのためには関係機関と

ここでも使える!
テーマ 14
行政の効率化

[3] 消費者教育の強化
東京都は、「消費者問題マイスター講座」を開催して、消費者問題に関する幅広い知識を体系的に学べる機会を設けているよ。

[4] もうけ話
マルチ商法や投資商法などだね。

[5] 消費者の権利意識と判断力を向上させることが重要
特に法教育は重要だよ。例えば、訪問販売では、期間内であれば書面で通知することによって無条件で契約を解除できるようになっている。これを「クーリング・オフ制度」というよ。道路で呼び止められて契約した場合や電話勧誘販売にも適用される。

の連携強化が重要な鍵を握る。そこで、行政は警察、弁護士会、**消費者団体**などと協力体制を築き、総合的な対策を講じていくべきである。そして、この連携を効果的に進めるため、データ共有システムの構築が求められる。各機関が持つ情報を効率的に共有することで、より迅速かつ的確な対応が可能となるためである。そして、このような連携強化の取組みを継続的に行うことで、新たな手口にも柔軟に対応できる法整備へとつなげていかなければならない。

　　　このように、消費者被害を防止するためには、上記の施策を総合的かつ継続的に実施することが必要である。今後とも行政は、関係機関と連携し、常に進化する課題に対応できる体制を作っていくことが求められる。

（1576 文字）

6 消費者団体
消費者団体訴訟制度というものがあるよ。これは内閣総理大臣が認定した消費者団体が、消費者に代わって事業者に対して訴訟などをすることができる制度だよ。

ここがＰＯＩＮＴ

取組み①の「相談体制の拡充」は、現状を踏まえた記述が求められるよ。土日祝日に休みである場合が多いけど、土曜日に相談を受け付けているところはあるにはあるよ。例えば、東京都の所管している消費生活センターや特別区の一部の消費生活センターなどがこれに当たる。受験先の消費生活センターがどうなっているかを調べてみるといいね。

オススメ参考資料

☑ **東京くらしWEB（東京都）**

東京都は、くらしに関わる情報サイトを開設している。情報が一元化されているのでとても見やすい。また、動画やクイズ、キャラクターの4コママンガなどで、楽しく消費者行政を学ぶことができる。

▶ https://www.shouhiseikatu.metro.tokyo.jp/

☑ **【消費者教育動画】あなたも気をつけよう！身近な消費者トラブル（京都府）**

京都府は、消費者被害を回避し、トラブルに適切に対処できる消費者の育成を目的として、若者向けに消費者教育動画DVD「あなたも気をつけよう！〜身近な消費者トラブル〜」を作成している。また、大学生出演のミニドラマをYouTubeで配信している。時間もそれぞれ長くないので、内容が頭にスッと入ってくるよ。

▶ http://www.pref.kyoto.jp/shohise/douga/wakamono_2.html

☑ **消費者庁HP**

「消費者の方」「相談員・事業者の方」という具合に、対象別に知りたい情報がまとまっている。「消費者ホットライン188（いやや）」についても詳しく書いてあるよ。

▶ https://www.caa.go.jp/

テーマ 18 | 選挙投票率

例題

　現在、選挙における投票率の低さが社会問題化している。今後、市民の政治参加を促していくために、行政として取り組むべきことは何か、あなたの考えを述べなさい。

＼ここからSTART／

投票率の低さについて触れて、特に若者の投票率に着目するとよい。シルバー民主主義の弊害を述べるとともに、市民の政治参加の意欲を取り戻していかなければならないという方向性を示すことから始めよう。

合 格 答 案 例 の 構 成

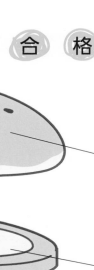

導入部分

国政選挙の投票率
- 10代、20代の若者の投票率が低く、中高年層のための政治であるシルバー民主主義となっている
- 将来の国や地域を考える契機を作り出し、市民の政治参加の意欲を取り戻していく必要がある

取組み①

社会課題に関する情報提供と市民参加型の政策立案
- 情報提供 → 広報紙を通じて社会課題の認知・解決を呼びかけ、若者に対してはインターネットやSNSを活用
- 市民参加型の政策立案 → パブリックコメントの活用や住民会議など

取組み②

主権者教育の充実と選挙PRの工夫
- 主権者教育の充実
  → 義務教育などの早い段階から出前授業による模擬投票の機会を設ける
  → 大学と連携して、政治・選挙に関するシンポジウムやワークショップなどを開催
- 選挙PRの工夫
  → インターネットやSNS、テレビスポットCMを活用した啓発、啓発キャンペーンの実施

取組み③

投票インフラの整備
- 共通投票所を設ける
- 不在者投票制度の利用促進

まとめ

さまざまな主体と連携して取り組んでいく必要がある

合格答案例

　現在、国政選挙の投票率は、2022年7月に行われた第26回参議院議員通常選挙で、52.05％となっており、投票率の低さが目立つ。こと地方選挙に目を向けると**5割を割り込むケース**[1]もめずらしくない。特に、10代、20代の若者の投票率が低く、中高年層のための政治である**シルバー民主主義**[2]となっているのが現状である。このように、政治への無関心が広まり投票率が下がると、民意の正確な反映が望めず、民主政治の正当性や根幹が揺らいでしまう。そこで、将来の国や地域を考える契機を作り出し、市民の政治参加の意欲を取り戻していかなければならない。では、今後、市民の政治参加を促していくために、行政として取り組むべきことは何か。以下具体的に述べる。

　第一に、社会課題に関する情報提供と市民参加型の政策立案に取り組むべきである。民主主義の意義を肌で感じ取れるような機会を増やさないと市民の政治参加は促進されないからである。そこでまず、情報提供については、広報紙を通じて社会課題の認知・解決を呼びかけ、政治参加への意識を醸成する。また、若者に対しては、インターネットやSNSを活用し、分かりやすい情報発信に努めるべきである。一方、市民参加型の政策立案については、**パブリックコメント**[3]の活用や住民会議など、市民が政策形成過程に関与できる機会を増やすことが求められる。加えて、地域や社会の幅広いテーマを素材にした研修会、学習会を通じて有権者の意識の芽生えを後押しすることも必要だ。このような取組みを継続的に行うことで、

[1] 5割を割り込むケース

2023年4月の統一地方選挙では、市町村議員選挙と、町村長選挙は、投票率が前回を下回り、過去最低だった。市長選挙と23区区長選挙、区議会議員選挙は前回を上回ったものの、引き続き50％を切る低水準となっている。

[2] シルバー民主主義

若者の投票率が低く、高齢者の投票率が高いので、高齢者寄りの政策ばかりが実現する現象だよ。

[3] パブリックコメント

政省令等の案を公表し、この案に対して国民からさまざまな意見を募る制度。行政手続法で規定されている。

市民一人ひとりの政治的リテラシーの向上につなげていく。

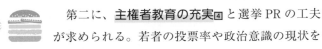

　　　　　　第二に、**主権者教育の充実**[4]と選挙PRの工夫が求められる。若者の投票率や政治意識の現状を踏まえれば、常時啓発として、若年層に対する主権者教育をいかに進めるかが鍵となる。また、若者が選挙に行こうと思えるようなPR活動も必要となるだろう。まず、主権者教育の充実については、義務教育などの早い段階から出前授業による模擬投票の機会を設けることが考えられる。政治的な難しい争点ではなく、「給食で食べるメニューの決定」や「修学旅行先の決定」など、児童・生徒が関心を持てるようなテーマを各学校が設定し、そのテーマに沿って候補者役となる児童・生徒が、選挙公報の作成や候補者演説を行う形式をとるとよいだろう。このような経験を通じて、選挙について自ら考えるきっかけづくりとしてもらうのである。また、若者の政治参加を促進するためには、大学の果たす役割も大きい。行政は大学と連携して、政治・選挙に関するシンポジウムやワークショップなどを開催し、学生の意識の高揚を図っていくことが求められる。次に、選挙PRについては、**若者自身が駅前や繁華街に立ってPR活動を実施する取組みが見られる**[5]が、ほかにもインターネットやSNS、テレビスポットCMを活用した啓発、啓発キャンペーンの実施などが考えられる。若者の目を引くような斬新な活動によって、有権者の選挙への関心を喚起することが必要である。

　　　　　　第三に、投票インフラの整備に取り組むべきである。コロナ禍以降混雑を避け、期日前投票を利用する者が増えており、このように有権者の心理的・物理

[4] **主権者教育の充実**

いろいろな自治体が指針などを定めて主権者教育を実施している。各受験先の取組みを確認してみるといいよ。

[5] **若者自身が……PR活動を実施する取組みが見られる**

東京都国分寺市では、若者が、市の投票率を「日本一」にするプロジェクトを進めているよ。

的ハードルを下げることが投票率を上げるためには必要である。そこで、今後は共通投票所⑥を増設し、手軽に投票できる仕組みを導入することが求められる。通勤や買い物、外出の途中など各人のライフスタイルに合わせて立ち寄りやすい投票所を設ければ、若者の投票率の向上も見込めるからだ。また、不在者投票制度⑦の利用促進も重要である。これは出張や旅行、出産などで居住の市区町村以外に滞在している人が行う投票方式である。不在者投票の投票用紙の請求を持参・郵送だけでなく、スマートフォンやパソコンのオンラインでもできるようにすれば⑧、有権者の利便性はさらに向上するだろう。

　市民の政治参加を促していくことは、日本の未来について真剣に考える人を増やすこととイコールと捉えることができる。少子高齢化の進行や多様性・共生が叫ばれる現在において、国民のニーズはますます分化している。このような社会だからこそ一人ひとりが自分の生きる国や地域のことを真剣に考え、よりよい社会づくりに積極的に参画することが求められる。そのために、行政は、さまざまな主体と連携して市民の政治参加の推進に向けて取り組んでいく必要がある。

（1797 文字）

⑥ 共通投票所
2022 年の参院選では全国 28 市町村 143 カ所に設置されたよ。利用者は 2 万 2,615 人だった。

⑦ 不在者投票制度
不在者投票制度は、住民票を地元から移していない学生や、住民票を移して居住 3 カ月を満たさない学生も利用できるよ。

⑧ スマートフォンやパソコンのオンラインでもできるようにすれば
神奈川県横浜市は、「横浜市電子申請・届出システム」を使用し、オンラインにより請求することができるようになったよ。

ここがＰＯＩＮＴ

そもそも論として、投票率が低いのは、社会課題に関心を持てないからだ。そこで、情報提供や市民参加型の政策立案を「第一に」の段落で示し、そのうえで、「第二に」で主権者教育の充実と選挙 PR の工夫を厚く論じるとよい。「第三に」の視点も意外と重要だよ。投票のハードルを下げることで、投票率アップにつなげるという視点だね。

オススメ参考資料

選挙・政治資金（総務省）
投票制度を理解したい人にはおススメの資料。期日前投票制度や不在者投票制度などの特徴や手続が全部まとまっている。基礎知識はこのページで学べるよ。
▶ https://www.soumu.go.jp/senkyo/senkyo_s/naruhodo/naruhodo05.html

小・中学校における政治的教養を育む教育（神奈川県）
神奈川県では、国に先駆け県立高等学校等において、シチズンシップ教育の一環として「政治参加教育」に取り組んできた。「政治的教養」のとらえ方や、小中学校段階において身につけさせたい力について検討・整理した資料が見られるよ。
▶ https://www.pref.oita.jp/uploaded/attachment/2144924.pdf

選挙啓発（静岡県浜松市）
積極的な投票参加ときれいな選挙の実現を目指して、浜松市が取り組んでいる選挙啓発事業が紹介されている。「10代、20代の皆さんへ」のページは皆さんのような若者に向けたメッセージが書かれているよ。
▶ https://www.city.hamamatsu.shizuoka.jp/senkan/election/suisin/top-suisin.html

テーマ 19 防犯

(例題)

　　私たちの生活を脅かす犯罪は今もなお多く発生している。犯罪を減らし、安心・安全なまちづくりを推進していくために、今後行政としてどのような取組みをすることが必要か、あなたの考えを述べなさい。

＼ここからＳＴＡＲＴ／

まずは、刑法犯の認知件数を示して全体の犯罪が減少してきていることを示すことから始めよう。そして、子どもたちを狙った凶悪犯罪や今後多発することが懸念されている外国人犯罪の存在などに留意するとよい。犯罪を減らすことを述べる前に、現状を分析することは大切だね。

合 格 答 案 例 の 構 成

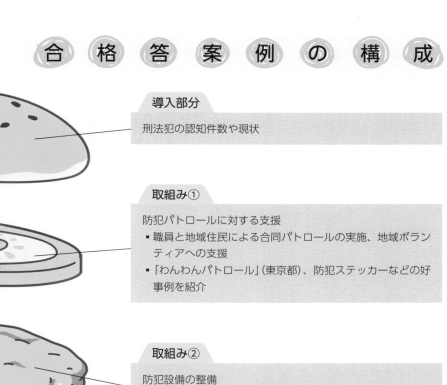

導入部分

刑法犯の認知件数や現状

取組み①

防犯パトロールに対する支援
- 職員と地域住民による合同パトロールの実施、地域ボランティアへの支援
- 「わんわんパトロール」(東京都)、防犯ステッカーなどの好事例を紹介

取組み②

防犯設備の整備
- 防犯カメラの設置推進、設置費用の一部助成
- 街路灯や公園灯の照度を上げる

取組み③

住民の意識改革
- 防犯対策セミナー、メールやSNSによる情報発信

まとめ

取組みの再確認、行政と地域の協力関係構築

合格答案例

　　ひったくり、万引きなどの刑法犯は長期的に見ると減少傾向にあるものの、2023 年の刑法犯認知件数は 70 万 3351 件と 2 年連続で増加している[1]。新型コロナウイルスの 5 類移行に伴い、人の流れが活発化したことが背景にあると考えられる。このような現状に適切に対処していくためには、地域団体や住民との連携のもと、多角的な対策を講じるとともに、住民一人ひとりの防犯意識を高めることが重要である。では、犯罪を減らし、安心・安全なまちづくりを推進していくために、行政としてどのような取組みをすることが必要か。以下具体的に述べる。

　　第一に、防犯パトロール体制を確立する取組みが求められる。具体的には、定期的に職員と地域住民による合同パトロールを実施したり、地域ボランティアによる自主的な防犯パトロールを人的・財政的に支援したりすることが挙げられる。また、防犯パトロールを、より効果的に行うための好事例を紹介することも必要だ。例えば、東京都では、犬の散歩の際に「わんわんパトロール[2]」のグッズを携帯し、不審者などを見つけたら警察に通報する取組みを行っている。この取組みは、参加者や地域住民の防犯意識の高揚につながるだけでなく、子どもやまちを「見守る目」を増やすことにもつながるため、防犯機能を期待できると言われている。一方、地域を走る自動車に防犯ステッカー[3]を貼付し、防犯の目として活躍してもらうことも有効である。この防犯ステッカーは、宅配便など民間事業者の車体に貼付し、犯罪発生現場や不審者を

[1] 刑法犯認知件数は 70 万 3351 件と 2 年連続で増加している

刑法犯罪の内訳では、自転車盗や暴行・傷害などの「街頭犯罪」が 24 万 3,987 件と、前年から 4 万 2,000 件余り、率にして 21％増えている。このほか、インターネットバンキングを悪用した不正送金の被害が過去最多の 86 億円余りにのぼっているね。

[2] わんわんパトロール

この取組みは実は多くの自治体で行われている。犬が頑張っている姿を見れば犯罪を起こそうと思わなくなるね。

[3] 防犯ステッカー

見たことあるかもしれないね。東京都では「大東京防犯ネットワーク」の HP に詳しく書いてあるから確認してみて。

見かけた場合に率先して通報してもらうことを狙いとしている。このように、行政は、好事例の紹介を通して地域ボランティアや民間事業者との連携を強め、地域全体で犯罪を減らしていく取組みを続けていく必要がある。

第二に、防犯設備の面から犯罪の起こりにくいまちをつくっていく取組みが必要である。具体的には、商店街や駐車場、マンションなどに防犯カメラの設置を呼びかけたり、街路灯、公園灯の照度を上げたりする取組みが考えられる。もっとも、こうした取組みは、同時に商店街や民間事業者に金銭的な負担を強いることにもつながる。そこで、防犯設備の整備を後押しするため、助成制度も併せて用意するべきである。例えば、東京都豊島区では町会や商店会、自治会の地域団体が主体となって実施する、防犯カメラの設置、維持管理事業に対して補助金を交付している。そして、ただ補助金を交付するのではなく、地域団体によるパトロール活動、清掃活動などの防犯のための見守り活動を行うことを条件としている。このようなギブ・アンド・テイクの関係をつくることは、地域一丸となって犯罪に立ち向かうという機運を高めることに資するであろう。

第三に、住民の意識改革に取り組むべきである。住民一人ひとりの防犯意識を向上させるため、行政、警察、地域団体はより一層連携を深めていくことが大切である。例えば、三者連携のもと、防犯対策セミナーなどを地域のコミュニティセンターや小中学校で定期的に開催し、犯罪多発地域や犯罪手口、護身術などを紹介することが考えられる。これにより、「自分の身は自分で守る」

という防犯意識を持ってもらうことができる。また、携帯電話などを活用したメール配信システムやSNSによる情報発信システム[4]をつくり、不審者情報や犯罪発生情報を随時発信していく取組みも必要となる。このように行政が主体的に情報を発信することで、住民の意識を少しずつ変えていくことができると考える。

以上のように、行政は、安心・安全なまちづくりを推進していくため、防犯パトロール体制の確立、防犯設備の整備、住民の意識改革の3つに取り組んでいくべきである。安心・安全は人々が幸せな生活を送るための不可欠の前提である。それゆえ、行政は地域との協力関係を築いて犯罪の起こりにくいまちづくりを推進していく必要がある。

(1591文字)

＼ここがＰＯＩＮＴ／

ここのポイントは、警察の取組みばかりを書かないこと。あくまでも「行政」の小論文だからね。今は地域防犯、つまり地域住民でいかに防犯体制を確立するかが重要なんだ。補助金は書いてもいいけど、ばらまきにならないような工夫を考えようね。

オススメ参考資料

☑ **大東京防犯ネットワーク（東京都）**
「わんわんパトロール」は、いつものお散歩のときに周りにちょっと気を配りながら歩くだけでOKなんだ。一人でも、仲間と一緒でも、気軽に取り組めるボランティア活動だよ。「わんわんパトロール」に協力すると、お散歩バッグをもらえるよ。「アンケート調査の結果」では、有効性が確認されている。
▶ https://www.bouhan.metro.tokyo.lg.jp/90_archive/topic/report_2019/10/p1017.html

☑ **共同住宅防犯対策助成事業（東京都港区）**
港区が行っている助成制度だ。共同住宅の共用部分に防犯機器を設置する場合、かかった費用の一部を助成するというものだよ。
▶ https://www.city.minato.tokyo.jp/seikatsuanzen/bosai-anzen/sekatsuanzen/jose/kyodojutaku.html

☑ **防犯　日本一安全で快適なまちを目指して（東京都江戸川区）**
江戸川区の犯罪発生件数は、地域団体・警察・区などの関係機関が一体となって粘り強く防犯活動を継続してきた結果、ピーク時の平成12年の5分の1以下になった。江戸川区の防犯対策は参考に値するよ。
▶ https://www.city.edogawa.tokyo.jp/e008/bosaianzen/bouhan/index.html

テーマ 20 | スマートシティ | 頻出度 ★★

（例題）

　現在、各自治体でスマートシティ※の考え方に基づいたまちづくりが行われている。スマートシティを推進する意義や課題について触れ、より一層のスマートシティの実現に向けて、行政はどのように取り組むべきか、あなたの考えを述べなさい。

※内閣府の定義
「グローバルな諸課題や都市や地域の抱えるローカルな諸課題の解決、また新たな価値の創出を目指して、ICT 等の新技術や官民各種のデータを有効に活用した各種分野におけるマネジメント（計画、整備、管理・運営等）が行われ、社会、経済、環境の側面から、現在および将来にわたって、人々（住民、企業、訪問者）により良いサービスや生活の質を提供する都市または地域」

＼ここからSTART／

スマートシティはそもそも定義自体が難しい。まずはこれを推進する意義をしっかりと書けるかが勝負の鍵を握るね。一方、課題も自分で思いつくものを言語化することが大切だ。

合 格 答 案 例 の 構 成

導入部分

スマートシティを推進する意義
- ICT技術を用いて地域課題を解決し、持続可能なまちづくりへとつなげていける点

課題
- システムトラブルやサイバー攻撃によって機密情報が漏洩したり、都市機能が停止したりするリスクがある

取組み①

産学官連携を進めていく
- 事業提案やアイデア提案を広く募集をし、それを審査・認定する仕組みを構築

取組み②

行政内部の体制整備を進めていく
- 諸分野間のデータ連携を前提に一体となって施策を進める
- 共通ルールの検討や効果検証などを不断に行う

取組み③

住民の意見の集約と丁寧な説明
- 説明会の開催やオンライン上の意見聴取
- 情報をオープンデータ化し、住民からの理解を得られるよう施策の意義や効果などを丁寧に説明する

まとめ

さまざまな主体の知恵を結集しながら、着実に成果を積み重ねていく

合格答案例

スマートシティを推進する意義は、ICT技術を用いて地域課題を解決し、持続可能なまちづくりへとつなげていける点を挙げることができる。これにより、交通や物流、防災、観光、健康・医療、防犯など、さまざまな分野で現在起こっている地域課題を解決していくことが可能となる。例えば、物流の場面では、ドローン配送を一般化できれば、人手不足や交通渋滞による配送遅延を解消することができる。また、医療の場面でも、遠隔診療や見守りなどの新たなサービスの普及に取り組んでいくことで、住民の利便性の向上につながる。しかし、一方で課題もある。例えば、システムトラブルやサイバー攻撃によって機密情報が漏洩したり、都市機能が停止したりするリスクがある。そのため、日ごろからのメンテナンスやデータの分散管理などが必要となる。また、住民のプライバシーの確保も課題となる。幅広いデータを活用することによって利便性が高まる反面、プライバシー意識の低下につながらないよう配慮していく必要がある。では、より一層のスマートシティの実現に向けて、行政はどのように取り組むべきか。以下具体的に述べる。

第一に、産学官連携を進めていくべきである。スマートシティを推進していくためには、さまざまな分野で民間部門や研究機関との協働が必要[1]となる。ICTを活用した新しい試みを実証する段階では、専門的な知見や技術の活用が欠かせないためである。そこで、行政としては、事業提案やアイデア提案を広く募集し、それを

[1] 民間部門や研究機関との協働が必要

協議会などのプロジェクトチームを立ち上げて課題の把握や施策の提言を行っている自治体が多いね。

審査・認定する仕組を構築していく必要がある。その際、費用対効果を綿密に分析し、事業の実現可能性や継続可能性、発展性などを検証していくことが求められる。

第二に、行政内部の体制整備を進めていくべきである。前述した通りスマートシティの対象分野は多岐に渡るため、まちづくりに関する**全体のビジョンの共有**[2]が不可欠である。そこで、分野ごとの縦割りでプロジェクトを進めていくのではなく、諸分野間のデータ連携を前提に一体的・横断的に施策を進めていくことが求められる。特に、共通ルールの検討や効果検証などは不断に行っていくことが必要となるだろう。

第三に、住民の意見の集約と丁寧な説明である。まちづくりは住民の利便性向上や満足度の向上に向けて取り組むのが基本である。そこで、スマートシティを推進するに当たり、住民の意見を広く聴取することが必要だ。その手段としては、説明会の開催やオンライン上の意見聴取など、さまざまな方法が考えられる。また、地域住民からの賛同を得ることも必要となる。そこで、スマートシティに関する情報を**オープンデータ化**[3]し、広く公開することで住民からの理解を得られるよう施策の意義や効果などを丁寧に説明していく姿勢が求められる。

スマートシティの推進は、今後ますます少子高齢化が進み、人口減少が加速化する中でも滞りなく公的サービスを提供し、地域の魅力を高めるための一助となる。それゆえ、今後もさまざまな主体の知恵と協力を得ながら、着実に成果を積み重ねていく必要がある。

(1252 文字)

[2] 全体のビジョンの共有
東京都千代田区では、データの活用による都市計画の高度化や、都市空間・インフラ管理手法の高度化を全体のビジョンとして共有している。

[3] オープンデータ化
官民データ活用推進基本法で、国・自治体はオープンデータに取り組むことが義務付けられているよ。オープンデータ化することで、国民参加・官民協働の推進を通じた諸課題の解決、経済活性化、行政の高度化・効率化等が期待できる。

取組みをどう分けて記述するのかが難しい。個人的にはこの手の革新的なまちづくり政策は、住民の意見の集約と丁寧な説明が一番重要だと思うな。住民の理解を得られずに頓挫する政策は少なくないからね。

オススメ参考資料

☑ **スマートシティとは（内閣府）**
スマートシティ定義が記されている。「スマートシティ施策のロードマップ 第1版」では、スマートシティ施策の現状と課題や今後のスマートシティ施策の方向性を知ることができる。
▶ https://www8.cao.go.jp/cstp/society5_0/smartcity/index.html

☑ **渋谷区スマートシティ推進基本方針（東京都渋谷区）**
渋谷区長期基本計画で示す各政策分野について『スマート化』の観点から分野横断的に取り組む指針。全体版を見ることで、渋谷区がどのような構想を掲げているのかを理解することができるよ。
▶ https://www.city.shibuya.tokyo.jp/kusei/shisaku/shibuyaku-kusei-plan/shibuya_smartcity_basicpolicy.html

☑ **スマートシティ推進方針（東京都板橋区）**
板橋区らしいスマートシティの実現に向けた取組みについて、一般家庭編、公共施設編、検討調査編に分かれている。それぞれの施策を把握するにはもってこいの資料。
▶ https://www.city.itabashi.tokyo.jp/bousai/smart/houshin/index.html

まちづくり

テーマ 21 | 地域コミュニティ | 頻出度 ★★★

例題

　現在、核家族化や高齢化、個人の価値観の多様化などによって、住民同士のつながりが希薄になってきている。地域コミュニティの崩壊が引き起こす問題について触れ、地域コミュニティの活性化のために行政が行うべき取組みは何か、あなたの考えを述べなさい。

ここからSTART

書けそうで書けないのがこのテーマ。ふわっとした頭の中のイメージをどう具体的に表現したらいいのかに悩む人が多い。共助の姿勢、住民参加などが地域コミュニティを活性化するので、色々な切り口でこの問題を考えてみよう。

合 格 答 案 例 の 構 成

導入部分

地域コミュニティの定義
地域コミュニティの崩壊がもたらす問題
- 高齢者の孤独・孤立、子育て機能の低下、地域防災機能の低下、担い手不足による地域文化の衰退など

取組み①

地域に対する愛着や帰属意識を高める取組み
- 当該地域の特徴や魅力、活動内容、地域的課題などを住民に対して発信していく

取組み②

町内会や自治会などの地縁団体の加入率向上に向けた取組み
- 自治会・町内会の活動を理解してもらえるよう継続的に説明を行い、加入を呼びかけていく
  → 自治会・町内会加入促進マニュアルの作成、不動産会社と連携、自治会のデジタル化

取組み③

地域コミュニティを支える各種団体を支援する取組み
- 運営費や用具代などについて財政的支援、NPOやボランティア団体との連携を通じて人材確保を後押し

まとめ

地域と連携しながら継続的に取組みを進めていく

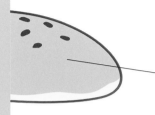

合格答案例

地域コミュニティは、住民同士が互いに助け合う共助の仕組みであり、**古くから町内会や自治会がその役割を果たしてきた[1]**。地域コミュニティの崩壊がもたらす問題としては、例えば、高齢者の孤独・孤立、子育て機能の低下、地域防災機能の低下、担い手不足による地域文化の衰退などが挙げられる。このような問題を解決するためにも、地域コミュニティの活性化は欠かせない。では、地域コミュニティの活性化のために行政が行うべき取組みは何か。以下具体的に述べる。

第一に、地域に対する愛着や帰属意識を高める取組みである。住民同士のつながりが希薄になる原因の一つとして、地域に対する愛着や帰属意識の低下が挙げられる。そこで、住民一人ひとりに当事者意識を持ってもらうために、行政が主体となり、当該地域の特徴や魅力、地域課題、施策などを住民に対して発信していくべきである。その際、地域情報誌やSNSなどさまざまな媒体を通じて、各層に広く届けられるような工夫が求められる。また、学生や企業との連携を図り、内容面もよりインパクトのあるものへと変えていくことが必要であろう。

第二に、町内会や自治会などの地縁団体の加入率向上に向けた取組みである。かねてから共助の核として機能してきたこれらの団体は、住民の生活の多様化を背景に加入率が低下している。そこで、新たな住民や未加入者に対して、**町内会・自治会の活動[2]**を理解してもらえるよう継続的に説明を行い、加入を呼びかけていく必

[1] 古くから町内会や自治会がその役割を果たしてきた

東京都の「町会・自治会活動に関する調査報告書」によると、非加入者が加入者を上回る結果となっているよ。

ここでも使える!
テーマ 10
人口減少社会

[2] 町内会・自治会の活動

環境美化・美化清掃、防犯・防災活動、文化・レクリエーション、広報活動などが主な活動内容だよ。

要がある。例えば、加入促進マニュアルを作成したり、**不動産会社と連携し、入居者や住宅購入者に案内チラシを配布してもらったりする**ことが考えられる。また、人々の生活スタイルの変化にあわせ、加入・参加ハードルをできるだけ下げる工夫も必要だ。例えば、情報共有を効率化するための電子回覧板の導入やオンライン会議の活用など、町内会・自治会のデジタル化を促していくことが考えられる。なお、今後は外国人に対しても加入を呼びかけていくべきであろう。災害時などの緊急時に他の外国人へ情報を伝えてもらう役割を期待できるためである。新たな共助の担い手として外国人を取り込むためにも、多言語のパンフレットを作成、配布し、その重要性を粘り強く伝えていくことが求められる。

第三に、地域コミュニティを支える各種団体を支援する取組みである。祭りやスポーツイベント、防災訓練、地域清掃などの運営は地域単位で行われることが多い。しかし、現在、どの団体も活動する際の**金銭的な負担や人手不足**に悩まされている。そこで、行政は運営費や用具代などについて財政的援助を行ったり、NPOやボランティア団体との連携を通じて人材確保を後押ししたりしていくことが必要だ。

地域コミュニティの活性化は今後ますます重要な行政課題となってくることが予想されるが、それをすぐに実現できるような特効薬はない。そうであるからこそ、地域と連携しながら継続的に取組みを進めていく必要がある。

(1216 文字)

③ 不動産会社と連携し、入居者や住宅購入者に案内チラシを配布してもらったりする

このような取組みは、自治体が宅地建物取引業協会と町内会・自治会加入促進に関する協定を結べば可能だよ。実施例もたくさん見られる。

ここでも使える！
テーマ 34
外国人との共生

④ 金銭的な負担や人手不足

ほかにも、活動の種類（生涯学習など）によっては、場所が確保できないという問題もあるね。そこで、学校や地域のコミュニティスペースなどの開放が求められるよ。

ここがPOINT

「取組み②」がメインとなるね。特に都心部で暮らす人をどう地域コミュニティに取り込むかが大きな課題となる。東京都の「町会・自治会活動に関する調査報告書」（2024年4月）をみると、都民の考え方がよくわかるので、一度目を通しておくといいだろう。また、町内会・自治会のデジタル化についてはぜひ触れたい。時代とともに地域活動の在り方も変化が求められているよ。

オススメ参考資料

☑ **大阪市地域コミュニティ活性化ビジョン（大阪府大阪市）**
大阪市は、地域コミュニティの活性化に取り組んでいけるよう、「大阪市地域コミュニティ活性化ビジョン〜"人が輝く元気な地域"をめざして〜」を策定しているよ。
▶ https://www.city.osaka.lg.jp/shimin/page/0000074054.html

☑ **京都市情報館（京都府京都市）**
京都市では、住民組織などが主体となって行う地域活動への参加・協力や、地域住民相互の交流・協働を促進するための取組みに対して助成金を交付している（地域コミュニティ活性化に向けた地域活動支援制度）。ほかにもたくさんの取組みがまとまっているからかなり参考になるよ。
▶ https://www.city.kyoto.lg.jp/menu1/category/17-3-1-0-0-0-0-0-0-0.html

☑ **町内会への加入促進に関する協定（北海道北見市）**
不動産会社の店舗などにおいて、新規入居者や住宅購入者に対し、町内会・自治会加入の案内チラシを配布してもらうことにより、町内会・自治会への加入を働きかける取組みだよ。
▶https://www.city.kitami.lg.jp/administration/life/detail.php?content=9851

テーマ 22 | 多様性（ダイバーシティ） | 頻出度 ★★★

（例題）

　社会情勢が変化する中で、あらゆる地域が持続的発展を遂げるためには、多様性を受け入れ、全ての人々が共生できる社会を実現していく必要がある。今後、行政は多様性社会を実現するためにどのような取組みをしていく必要があるか、あなたの考えを述べなさい。

＼ここからSTART／

「多様性社会」とは何か。まずはこの点を明らかにしなければならないね。自分なりの定義を示すことが大切だよ。偏りのない定義にしたいところだ。

合格答案例の構成

導入部分

多様性社会の定義
- 一人ひとりが社会のメンバーとして尊重され、生きがいをもって日々の生活を送れる社会

多様性社会を実現する意義
- 社会的課題の解決、社会の発展、新しい価値創出

取組み①

行政は多様性を受け入れる姿勢を示していく
- 少数者の問題を広く社会の関心事とすることができる
  - → 東京都渋谷区がパートナーシップ証明書の発行を可能とする条例制定
- 民間レベルの取組みを評価することも必要
  - → 認定・表彰する制度

取組み②

行政はあらゆる人が多様性について学び、考える機会を提供していく
- 正しい知識をもとにした他者理解が多様性の鍵を握る
  - → 講座やシンポジウム、交流会などの開催、学校現場での取組みも必要
- 雇用の場面において、一人ひとりが能力を最大限に発揮し、自己実現を果たせる環境を作っていく
  - → 見える化、フォローアップや窓口の充実

まとめ

行政は、地域や住民、民間企業との連携を強め、新たな制度づくりや社会基盤の整備に力を入れていくべき

合格答案例

多様性社会とは、あらゆる差異にかかわりなく一人ひとりが社会のメンバーとして尊重され、生きがいをもって日々の生活を送れる社会を意味する。近時、パリ2024パラリンピック競技大会が開催されたことを契機に、障がい者スポーツに注目が集まっている。一方、性的指向やジェンダーアイデンティティの多様性に関する理解の増進を求める法律（LGBT理解増進法）も施行されるに至っている。このような現状の下、共生社会を実現するためには、他者理解や社会的なバリアの縮減、発想の転換などが必要となる。多様性を受け入れ、全ての人が共存できる環境を整えることで、現在起こっている、または将来起こるとされる社会的課題の解決や社会の発展、新しい価値創出にもつなげることができると考える。これらを踏まえ、今後行政は多様性社会を実現するためにどのような取組みをしていく必要があるか。以下具体的に述べる。

第一に、行政は宣言やガイドラインの作成、条例制定などさまざまな手段で多様性を受け入れる姿勢を示していくべきである。というのも、各自治体が自らの姿勢を示し、それを継続的に発信することで少数者の問題を広く社会の関心事とすることができるからである。例えば、性的少数者（LGBTQ[1]）の問題については、全国に先駆けて、東京都渋谷区が同性カップルを「婚姻に相当する関係」と認め、パートナーシップ証明書の発行を可能とする条例を制定した。これを皮切りに制度普及が進み、現在では450を超える自治体がパートナーシップ制度[2]を

[1] LGBTQ
Bisexual（バイセクシュアル・両性愛者）、Transgender（トランスジェンダー・性自認が出生時に割り当てられた性別とは異なる人）、Lesbian（レズビアン・女性同性愛者）、Gay（ゲイ・男性同性愛者）、QueerやQuestioning（クィアやクエスチョニング・自分自身のセクシュアリティを決められない、または分からない、または決めない人）の頭文字をとった用語。「性的少数者の総称」として用いられるよ。

[2] パートナーシップ制度
本人の了解なく性的指向を暴露する「アウティング」が問題となっていることを受け、届出や証明書の発行はオンラインで行うところもあるよ。

導入するに至っている。このように、一つの自治体が社会の問題に目を向け、そのニーズに応えることで、周りの自治体も先行事例を参照して行動に移しやすくなる。

　また、民間レベルの取組みを評価することも必要である。具体的には、さまざまな少数者の課題に積極的に取り組んでいる企業を**認定・表彰する制度をつくるとよいだろう**③。認定・表彰された企業が社会的に認知されることで、その取組みが広く知れ渡り、他の企業が追随するきっかけを作り出すことができる。

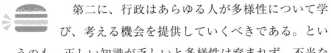　　　第二に、行政はあらゆる人が多様性について学び、考える機会を提供していくべきである。というのも、正しい知識が乏しいと多様性は育まれず、不当な偏見や差別につながるおそれがあるからである。価値観が多様化している現代においては、正しい知識をもとにした他者理解が多様性の鍵を握るといってよい。そこで、行政は性別、年齢、障がいの有無、国籍、性的指向など、さまざまな社会的事象をテーマとした**講座**④やシンポジウム、交流会などを開催し、正しい知識の提供と相互理解の促進に努めていくべきである。また、学校現場でも、急速な国際化・グローバル化に備えて、児童生徒の一人ひとりが個性を最大限に発揮できるよう、教育を通じた環境整備を急がなければならない。教科・単元をはじめとする各学習の場面に応じて、他者への共感や思いやりの気持ちを育める方法について考察を深めていくことが重要となる。

　また、日々の生活の中心となる雇用の場面においては、不当な差別や偏見を払しょくし、一人ひとりが能力を最大限に発揮し、自己実現を果たせる環境を作っていかなけれ

③ 認定・表彰する制度をつくるとよいだろう
大阪府大阪市では、性的マイノリティの人が直面している課題等の解消に向けた取組みを、先進的・先導的に推進している事業者等を認証しているよ（「大阪市LGBTリーディングカンパニー」認証制度）。

④ 講座
埼玉県では、オンラインで「LGBTQ県民講座」を開催していたね。事前申込み不要のオンライン動画配信（無料）だよ。企業向けの研修動画制作や講師派遣、企業相談なども行っている。

ばならない。現在事業主に対して、従業員の**一定割合（法定雇用率）以上の障がい者の雇用を義務付ける制度**⑤が存在している。このような数値としての「見える化」は、障がい者雇用について社会的な関心を高めたり、監視の目を強化したりするのに有効な手段と言える。多様性の観点からは、このような制度が障がい者雇用以外の場面にも広がっていくことが望ましい。併せて、企業側の対応に対するフォローアップや少数者が相談することのできる窓口を充実させていくことも忘れてはならない。誰もが多様性社会の一員として前向きに行動できるよう、きめ細かなサポートをしていく必要がある。

　　　　一人ひとりの違いを認め合う多様性社会の実現は、多様な生き方を選択し、あらゆる活動に参画し、責任を分かち合うことにつながる。そのため、行政は、地域や住民、民間企業との連携を強め、新たな制度づくりや社会基盤の整備に力を入れていくべきである。

（1692 文字）

⑤ **一定割合（法定雇用率）以上の障がい者の雇用を義務付ける制度**

「障害者雇用率制度」だよ。常用労働者の数に対する割合（障害者雇用率）を設定し、事業主等に障害者雇用率達成義務を課す制度だよ。民間企業は 2.5％、国、地方公共団体等は 2.8 ％、都道府県等の教育委員会は、2.7 ％となっているね。

ここがＰＯＩＮＴ

少数者の問題を取り上げる際には、なるべく幅広く触れるとよい。今回は主に性的少数者や障がい者に光を当てたが、外国人について触れてもいい。また、高齢者や女性について取り上げてみてもよいが、その場合は必ずしも少数者とは言えないので、あくまでも「多様性」という視点を強調して論じることが大切だ。

オススメ参考資料

☑ ダイバーシティ社会推進（三重県）

多様性（ダイバーシティ）について、効果の面に着目している点がポイント。能力発揮、価値観・世界観の広がり、イノベーション（変革）が挙げられているよ。多様性の「視点」も参考になる。

▶ https://www.pref.mie.lg.jp/common/01/ci400013451.htm

☑ LGBTQ（性的マイノリティ）（埼玉県）

LGBTQ県民講座が紹介されている。また、「多様性を尊重する共生社会づくりに関する調査の結果について」という資料があるんだけど、このような調査は都道府県では初めてだという。きわめて貴重な資料なので、一読しておくとよい。

▶ https://www.pref.saitama.lg.jp/a0303/lgbt-pamphlet.html

☑ 性の多様性について考えてみよう〜性的志向と性自認〜（東京都北区）

北区では、人権を尊重し、多様性を認めあう地域社会を目指している。用語の説明や性の多様性における４つの構成要素、アウティングについての説明など、性的少数者のことを学ぶためには参考になる。

▶ https://www.city.kita.tokyo.jp/tayosei/lgbtleaflet.html

テーマ 23 スポーツ振興

頻出度 ★★

例題

　スポーツには、「する」、「みる」、「ささえる」といったさまざまな楽しみ方があるとされ、スポーツを通じて、さまざまな地域課題の解決につなげていくことが求められている。このような現状を踏まえ、スポーツの持つ役割について説明し、その役割を発揮していくために、行政としてどのような取組みをしていくべきか、あなたの考えを述べなさい。

ここからSTART

スポーツの役割を自分で考えることからスタートする。結論をズバッと述べて、それを一つずつ丁寧に説明することが求められるね。シンプルに、かつ具体的にまとめるのが意外と大変。

合 格 答 案 例 の 構 成

スポーツの持つ役割
- 青少年の健全な育成 → 説明
- 地域の活性化 → 説明
- 心身の健康の保持増進 → 説明

取組み①

子どもたちがスポーツから多くを学び、多様な価値観を育むための環境整備
- 「する」、「みる」、「ささえる」の3つを駆使し、さまざまな体験の機会を作っていく

取組み②

地域のスポーツ資源の創出・活用
- スポーツイベントに観光的要素を加えたスポーツツーリズムを推進する

取組み③

心身の健康の保持増進に向けたスポーツ実施率の向上
- 実施率の目標数値を決め、世代や立場に応じたきめ細かな普及啓発をしていく
- 施設面の充実

まとめ

さまざまな主体と連携しながら取組みを進めていく

合格答案例

　　スポーツは、青少年の健全な育成や地域の活性化、心身の健康の保持増進など、国民生活において多面にわたる役割を持つ。まず、青少年の健全な育成については、スポーツを通じて責任感や克己心、フェアプレー精神を培い、スポーツによる仲間との交流を通じて、豊かな人間関係を築いたり、他人への思いやりの心を育んだりすることができる。次に、地域の活性化については、スポーツを通じて地域の人々とつながり、住民相互の新たな連帯感、連携が生まれ、地域の一体感や活力の醸成につながる。さらに、心身の健康の保持増進については、国民医療費が増加し続けている現代において、適度なスポーツを実施することで、加齢による筋力低下や、運動器障害を防止し、介護予防につながる。では、これらのスポーツの持つ役割を発揮していくために、行政としてどのような取組みをしていくべきか。以下具体的に述べる。

　　第一に、子どもたちがスポーツから多くを学び、多様な価値観を育むための環境整備である。生涯にわたって主体的に運動やスポーツに取り組む習慣をつけるためには、子どもたちが運動やスポーツを好きになることが重要となる。特に、運動が苦手な子どもに対しては、スポーツの楽しさや身体を動かすことの喜びを実感させるための個々の特性に応じたアプローチが必要である。そこで、「する」、「みる」、「ささえる」[1]の３つを駆使し、さまざまな体験の機会を作っていくべきである。例えば、地域におけるプロスポーツの観戦会やアスリートと子どもの交

[1] 「する」、「みる」、「ささえる」
日本のスポーツ文化の多様なかかわり方を促進する概念。特に、体育や保健体育の教育指導要領の改訂により、重視されるようになったよ。

流会、親子参加型の体験教室など、スポーツを手軽に楽しめる機会を多く設定していくことが求められる。

第二に、地域のスポーツ資源の創出・活用である。スポーツ資源には、スポーツ施設や豊かな自然、プロ・トップスポーツチームの拠点など、さまざまなものがあるが、これらを有効に活用することで、地域でのにぎわいや経済効果の創出、スポーツ関連市場の拡大につなげていくことができる。例えば、マラソン大会をはじめとする多数の参加者が見込めるスポーツイベントに観光的要素を加えた**スポーツツーリズム**[2]を推進することで、地方誘客による交流人口の拡大や幅広い関連産業の活性化、関連消費の拡大など、一般観光以上の経済的効果がもたらされる。行政としては、このような取組みを、スポーツ団体、企業、地域住民と連携して展開していくことが求められる。

第三に、心身の健康の保持増進に向けた**スポーツ実施率**[3]の向上である。現状として、高齢者の実施率は高水準で推移しているものの、働く世代である20代〜50代のスポーツ実施率は低いままである。また、障がい者の実施率は成人一般のそれよりも低い。そこで、行政は実施率の目標数値を決め、世代や立場に応じたきめ細かな普及啓発をしていく必要がある。例えば、働く世代に対しては、忙しい仕事の合間をぬって短時間でできる運動の紹介を、障がい者に対しては、障害の種別や程度に配慮し、安全に取り組めるパラスポーツの紹介をそれぞれしていくことが求められる。また、併せて施設面の充実も重要である。具体的には、誰もが身近な地域でスポーツに親しむことのできる総合型地域スポーツクラブの質を向上さ

ここでも使える！
テーマ25
地域創生

[2] スポーツツーリズム
スポーツ庁では、地域スポーツ資源を活用した国内外から選ばれる観光コンテンツ創出のためモデル事業を実施しているよ。「スポーツツーリズムコンテンツ創出事業」というものだ。

[3] スポーツ実施率
20歳以上の週1日以上の運動・スポーツ実施率は、52.0％で、男女別では、男性が54.7％、女性が49.4％となっていて、引き続き男性より女性の実施率が低い。年代別では、20代〜50代の働く世代で引き続き低い傾向となっている（令和5年度「スポーツの実施状況等に関する世論調査」より）

せ、**多世代、多種目、多志向**[4]の特徴を活かした安定的な
クラブ運営をサポートしていくべきである。

　　　　スポーツ基本法では、全ての人々にスポーツを
する権利、スポーツを楽しむ権利を保障している。
このような権利を実質化し、だれもがスポーツの恩恵を受
けながら健康な生活を送れるよう、さまざまな主体と連携
しながら取組みを進めていく必要がある。

（1470 文字）

[4] 多世代、多種目、多志向

総合型地域スポーツクラブは、子どもから高齢者まで（多世代）、様々なスポーツを愛好する人々が（多種目）、初心者からトップレベルまで、それぞれの志向・レベルに合わせて参加できる（多志向）、という特徴を持つんだ。

ここがＰＯＩＮＴ

2つ目の取組みである「地域のスポーツ資源の創出・活用」については、ご自身の受験先に合わせて書くのがよいだろう。どんなスポーツ資源を持っているかを考え、既に実行に移されている取組みがあれば、それを参考にして書いてみるのも手だね。

オススメ参考資料

☑ **令和5年度「スポーツの実施状況等に関する世論調査」（スポーツ庁）**
運動・スポーツ実施率について、実施状況に関する要因、「する」「みる」「ささえる」スポーツについて、今後の対応などがまとまっている。多数のデータが掲載されているので、現状や課題を把握するために役立つよ。
▶ https://www.mext.go.jp/sports/b_menu/houdou/jsa_00167.html

☑ **埼玉県スポーツ推進計画（埼玉県）**
埼玉県がスポーツを推進していく上で目指すべき方向性や取組みの計画を示す計画だよ。「第4章 計画の内容」は、施策が10個載っていて、かなり具体的に取組みの方向性が示されているよ。
▶ https://www.pref.saitama.lg.jp/documents/231326/sspr5_hp.pdf

☑ **総合型地域スポーツクラブ（群馬県）**
総合型地域スポーツクラブの概要や総合型地域スポーツクラブの特徴が説明されている。令和4年4月1日から始まった新しい登録・認証制度についても外部リンクを付けて解説しているね。
▶ https://www.pref.gunma.jp/page/5270.html

テーマ 24 U・Iターン戦略

頻出度
★★★

例題

　現在、地域活性化や各人のライフサイクルの多様化により、U・Iターンを希望する者が増えてきている。そこで、今後、特に若い世代の地方移住を促進するために、行政として行うべきことは何か、あなたの考えを述べなさい。

ここからSTART

今回は文字数や全体とのバランスの関係でカットしているけど、U・Iターンの定義を入れるとより丁寧な論文になる。「大都市圏の人口集中」と「地方移住希望者の存在」に触れ、問題提起までサラッと流すのがベストだよ。

合 格 答 案 例 の 構 成

導入部分

人口減少社会の現状・現況の確認
- 大都市圏の人口集中
- 一方で、地方移住を検討する者も多い

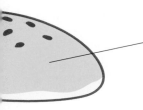

取組み①

雇用の機会の創出と人材の確保
- 雇用の機会の創出 → 地元産業の活性化と新たな雇用創出の両面から対策を講じる
- 人材の確保 → 首都圏でU・Iターン希望者向けの合同説明会、各企業に課題解決型インターンシップの実施
- 今後はより柔軟な働き方を推進することで地方移住の障壁を下げていく

取組み②

住環境の整備
- コンパクトシティの推進や交通インフラの整備
- 子育て支援の充実
- 住宅の提供、「空き家バンク制度」を通じた物件の紹介
- 移住コーディネーター制度の充実

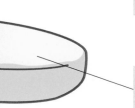

まとめ

取組みの再確認
- 雇用面、住環境面での取組みが重要

合格答案例

現在、全国の多くの自治体が人口減少に直面している一方で、**大都市圏に人口が集中する傾向が鮮明になっている**[1]。特に若い世代については進学を機に首都圏に移住し、そのまま首都圏で就職するという流れが常態化している。もっとも、最近は、地方での暮らしを希望する人や、さまざまな目標を描いて地方移住を検討する人も目立つようになってきた。これは価値観の変化や働き方の多様化が大きく影響していると思われる。すなわち、テレワークやローテーション勤務などが進展する中で、わざわざ大都市圏に住む必要を感じない人が増えてきたのだろう。今後、地方の適正な人口を確保し持続可能性を高めるためには、**U・Iターン**[2]を通じて地方への人の流れを作り出していく必要がある。では、今後、特に若い世代の地方移住を推進するために、行政として行うべきことは何か。以下具体的に述べる。

第一に、雇用の機会の創出と人材の確保に取り組むべきである。安定した仕事がなければ、地方への移住は困難を極める。そこで行政は、地元産業の活性化と新たな雇用創出の両面から対策を講じる必要がある。まず、地元産業の活性化については、既存の企業を支援するとともに、農林水産業や伝統工芸などの地場産業を振興することが重要である。次に、新たな雇用創出については、成長の見込める新産業の育成や企業誘致、特に本社機能の移転などを推進し、新しい雇用の場を積極的に作り出していかなければならない。一方、このように雇用の機会が創

[1] 大都市圏に人口が集中する傾向が鮮明になっている
特に東京都への人口の一極集中が再び強まっている。生活コストの高い東京都への集中は少子化につながる懸念があるとされる。人口減に拍車がかかる地方はインフラの維持が課題になるね。

[2] U・Iターン
Uターンは、地元から別の地域に移り住み、その後また地元に戻り住むこと。Iターンは、地元から、別の地に移り住むこと。

📱 **ここでも使える！**
テーマ 25
地方創生

出されても若者を呼び寄せ、適切なマッチングにつなげて
いかないと意味がない。そこで、**首都圏でU・Iターン希望者向けの合同説明会を開催**［３］したり、各企業に課題解決
型インターンシップの実施を呼びかけたりすることで、地
方で活躍できる人材確保に努めていくことが大切だ。なお、
今後はより柔軟な働き方を推進することで地方移住の障壁
を下げていくことが求められる。テレワークや**サテライト
オフィス**［４］勤務の導入支援はこの点に関する有効な手段と
なり得る。実際に、首都圏のIT企業が地方にサテライト
オフィスを開設する事例は多く見られる。これにより、地
方在住者も定職に就ける機会が増えるとともに、企業側に
も都市部では出会えない多様な人材を採用できるというメ
リットがもたらされることになる。

　　　　　　第二に、住環境の整備を行うべきである。具体
的には、**コンパクトシティの推進**［５］や交通インフ
ラの整備、子育て支援の充実、住宅の提供などである。こ
のような取組みを通じて、地方移住者のより一層の生活の
安定を目指していく必要がある。特に、地方に移住する理
由として子育てを挙げる者の割合は多い。そこで、例えば、
財政的な援助を通じて企業独自、または複数企業の連携に
よる事業所内保育所の開設を促したり、駅構内に簡易保育
所を開設したりするなど、**子育てのしやすいまちづくり**［６］を
推進していくべきである。また、住宅の提供についても、
U・Iターン希望者には**「空き家バンク制度**［７］」を通じて
物件を紹介し、入居する際の改修につき、その費用の一部
を自治体が補助する取組みが有効である。併せて引っ越し
の費用や家賃に対する助成制度なども用意するとより効果
的であろう。なお、今後は移住の前後を通じた心のサポー

**［３］ 首都圏でU・I
ターン向けの合同
説明会を開催**

東京にU・Iターン
転職の相談窓口や、
人材バンクシステ
ムを用意している
自治体も多いよ。

ここでも使える！
テーマ 37
テレワーク

［４］ サテライトオフィス

北海道から沖縄県
まで、多くの自治
体が取り組んでい
る。総務省「おた
めしサテライトオ
フィス」事業のHP
で紹介されている
よ。

ここでも使える！
テーマ 03
少子化対策

ここでも使える！
テーマ 26
空き家

トも必要になってくると考えられる。というのも、移住先の環境や習わしになじめず、結局定住につながらなかったというケースも少なからず耳にするからである。自分らしい生活を求めて移住を決意したのにもかかわらず、そこでの生活に挫折してしまうのでは元も子もない。そこで、今以上に「移住コーディネーター制度」を充実させ、経験者のアドバイスをいつでも受けられる体制を整えていく必要がある。移住希望者一人ひとりのニーズに合わせた相談対応や、仕事・住まいをはじめとする情報提供を通じて、移住実現に向けた伴走型のサポートを厚くしていくことが求められる。

　このように、若い世代の地方移住を推進するために、行政としては、雇用面、住環境面の2つの側面から取組みを行っていくことが重要である。地方がそれぞれ有する固有の資源を生かして地方移住を推進できるよう、住民と一体となって対策を講じていくべきである。

（1711 文字）

⑤ **コンパクトシティの推進**

最近は、「スマートシティ」も提唱されている。これは、先進的技術を活用して、サービスを効率化・高度化し、社会的課題の解決を図る取組みだよ。Society 5.0 の先行的な実現の場と言われている。

⑥ **子育てのしやすいまちづくり**

ほかにも、出産祝い金の交付やベビー用品の無償貸与などを実施している自治体もあるよ。

⑦ **空き家バンク制度**

空き家の入手ルートは、不動産業者と地方自治体の2つに分類できる。空き家バンク制度を設けている自治体は多いよ。

よ

ここがPOINT

地方移住の条件を自分なりに考えて、それを構成上、分けて書くのがポイントだよ。雇用と住環境について触れるといいね。雇用は書くことがたくさんあるので、もっと一つひとつをコンパクトに書いても構わない。最近トレンドの「サテライトオフィス」の誘致については、ぜひ盛り込もう。

オススメ参考資料

☑ 地方移住ガイドブック（内閣官房）

内閣官房まち・ひと・しごと創生本部事務局が公表している地方移住のためのガイドブックだよ。これを読めば地方移住を検討したくなるはず。

▶ https://www.chisou.go.jp/sousei/info/pdf/panf_iju.pdf

☑ UIターン（鹿児島県）

鹿児島県のUIターンまとめページ。さまざまな取組みが一元化されているので、参考になる。鹿児島への就職を考えている人向けの公式LINEアカウント「もどってみらんけ？かごしまに！」（通称：もどかご！）は面白いね。

▶ https://www.pref.kagoshima.jp/sangyo-rodo/ui/index.html

☑ 糸魚川市移住サポーター（新潟県糸魚川市）

糸魚川市では、新しく糸魚川市への移住を希望している人が、スムーズに移住・定住できるよう移住サポーター制度を用意している。市民ボランティアで構成されているのが特徴的で、手軽に相談ができる仕組みになっている。

▶ https://www.city.itoigawa.lg.jp/item/17854.htm

テーマ 25 | 地方創生

頻出度 ★★★

例題

　現在、地方の人口減少に歯止めをかけるために、国は地方創生を政策の目玉として掲げている。今後、地方創生を実現し、地域の活性化につなげていくために、地方自治体はどのような取組みを行っていく必要があるのか、あなたの考えを述べなさい。

ここからSTART

大都市圏の人口集中については、若者が特に問題だと言われているので、これに何とか歯止めをかけなければならないんだね。

合 格 答 案 例 の 構 成

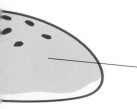

導入部分

地方創生の必要性
- 人口減少の加速化により日本経済に大きな影響
- 大都市圏の人口集中
  - → 特に若い世代

取組み①

定住人口を増やす取組み
- 雇用の確保
  - → 企業の地方拠点を強化し、地方採用・就労の拡大を目指す、支援金の支給
- 生活面のサポート
  - → 移住相談窓口の設置、移住コーディネーター制度の充実、子育て支援の充実

取組み②

交流人口を増やす取組み
- 観光を促進し、経済の活性化につなげる取組み
  - → 地方の観光拠点の整備や魅力的な観光ルートの作成・見直しなど

取組み③

関係人口を増やす取組み
- 副業・兼業の促進の流れ
  - → 地方の中小企業の受入れを推進

まとめ

地方自治体は、その地域にあった積極的な仕掛けをしていくことが必要

合格答案例

　　現在進行する地方の人口減少は、今後さらに加速していくことが予想され、このままの速度で人口減少が続けば消費・経済力が低下し、日本経済に大きな影響を及ぼすとされている。近時のコロナ禍を経て再び大都市圏への一極集中が顕在化し、特に10代後半から20代の若者にその傾向が顕著に見られる。そこで、地方の人口減少に歯止めをかけ、各地域がそれぞれの特徴を生かした自律的で持続的な社会を創生していくことが喫緊の課題となる。このような現状を踏まえ、地方創生を実現し、地域の活性化につなげていくために、地方自治体はどのような取組みを行っていく必要があるのか。以下具体的に述べる。

　　第一に、地方における定住人口を増やす取組みが必要である。具体的には、雇用の確保と生活面のサポートをすることでU・Iターンを促進し地方移住につなげていくことが求められる。まず、雇用の確保については、特に若者向けの雇用をつくることが必要である。そこで、企業の地方拠点を強化し、地方採用・就労の拡大を目指すべきである。例えば、地方への本社機能の移転を後押ししたり、サテライトオフィスやテレワークなどの遠隔勤務の環境を整えたりする取組みが考えられる。これにより、地方に在住しながら働く機会を提供することができる。また、**より積極的に移住を促進する観点**[1]からは、都心から移住し、地方で就業または起業しようとする者に対して、支援金を支給する取組みも有効である。長野県では県が開

ここでも使える！
テーマ 24
U・Iターン戦略

[1] より積極的に移住を促進する観点

都市部の人々を地域に派遣して地方を活性化しようとする「地域おこし協力隊」の取組みも盛んに行われている。地方自治体が彼らを任期付きで公務員として雇い、地域の活動に従事してもらう制度だよ。

158

設・運営するマッチングサイトの求人で採用された移住者に、移住支援金を支給する制度を設けている。このような取組みを広く若者に知らせることで、地方移住のきっかけ[2]を作り出すことができるのではないだろうか。

　次に、生活面のサポートについては、移住者相談窓口を設けて随時相談にのっていくことが求められる。また、移住を希望している者が、スムーズに行動に移せるよう移住コーディネーター制度[3]を充実させていくことも必要であろう。移住前から移住後まで、切れ目のない伴走型のアドバイスを受けられる体制を整えることが望ましい。一方、住まいの確保も重要だ。空き家バンクをより一層活用するとともに、移住者が空き家を購入して居住する際に行うリフォーム費用や不要物の撤去費用の一部を助成する仕組みを設けることも有効であろう。さらに、子育て支援にも力を入れるべきである。これにより、子育てを契機に地方移住を検討する若い世代のニーズに応えることが可能となる。

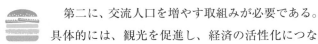

　　　　　　第二に、交流人口を増やす取組みが必要である。具体的には、観光を促進し、経済の活性化につなげる取組みが求められる。そのため、地方の観光拠点の整備や魅力的な観光ルートの作成・見直しを不断に行っていくことが必要である。最近はスポーツツーリズムのようなスポーツを通じた観光客の呼び込みや、MICE[4]の取組みなどを通じて、一般的な観光以上の経済効果を生み出すことに成功している自治体も多く存在する。いずれにしても、地域における資源はさまざまであるため、その地域の特徴を生かした、その地域ならではのアプローチで地方に人々

[2] 地方移住のきっかけ

最近は「お試し移住」を導入する自治体もあるよ。富山県は期間限定でテレワークで移住する人に対して補助金を出しているんだ。

[3] 移住コーディネーター制度

今後は、都市部からの外国人移住者が増えることが予想されているため、外国人に向けた制度も整えないといけない。

[4] MICE

多くの集客が見込まれ、経済効果の大きいビジネス関連イベントのこと。Meeting Incentive travel Convention Exhibition の頭文字をとった造語だよ。

を呼び込む必要がある。

第三に、地域の新しい入り口として注目されている関係人口を増やす取組み⑤が必要である。関係人口とは、移住した定住人口でもなく、観光に来た交流人口でもない、地域と多様に関わる人々を表す言葉である。既に地方によっては若者を中心とした地域外の人材が地域づくりの担い手となっている事例がみられる。今後は、副業・兼業を促進する動き⑥にあわせて、地方の中小企業の受入れを強化することにより、都市部に住んでいる者を地方へ呼び込む事例を増やしていくべきである。多様なスキル・知見を有する都市部の人材が、地方と協働して実践活動に取り組むことにより、地域の課題が解決されることを期待したい。また、ふるさと納税制度を活用⑦し、返礼品を通じて、寄附者に地域の魅力を伝え続けていくことも大切である。各自治体の創意工夫により、制度趣旨を踏まえた魅力的な返礼品を用意できれば、将来的に交流人口、定住人口へと発展していくことが考えられる。

今後より一層少子高齢化が進む日本においては、地方創生により人口減少を食い止め、地方の経済を活性化させることで、国全体の経済を押し上げていくことが必要となる。特に、若者一人ひとりが地方創生の意義を理解し、行動に移せるような社会を築いていくことが大切だ。そのために、地方自治体は、その地域にあったより積極的な仕掛けをしていく必要があるだろう。

（1851 文字）

⑤ 関係人口を増やす取組み

「第三に」の段落は、シェアリングエコノミーの推進を挙げてもよい。個人等が保有する活用可能な遊休資産等を他の個人等も利用可能とする経済活動のことだ。ネット上のプラットフォームがあれば可能だよ。低未利用スペースの活用や地域の足の確保、子育て支援、地域人材の活用など、地域課題の解決に役立てることができるよ。オススメ参考資料をチェックしてみて。

⑥ 副業・兼業を促進する動き

厚生労働省は、「副業・兼業の促進に関するガイドライン」を策定しているよ。多様なキャリア形成を図っていくことを促進するためだ。

⑦ ふるさと納税制度を活用

企業版ふるさと納税もあるよ。企業が自治体に寄付をした際に控除される金額が最大９割にのぼる。地域課題の解決に向けた企業との関係性構築のきっかけとなるよ。

ここがＰＯＩＮＴ

地方創生を実現するべく、現在どの自治体も移住・定住策を打ち出している。それだけに政策的な手段も豊富なので、書き負けないことが大切だ。自分で色々な自治体の取組みを調べてみるのがよいと思う。自分が受験する自治体の取組みは必ずチェックし、盛り込めるようなら盛り込むとよい。そうすれば、他の受験生との差別化ができるんじゃないかな。

オススメ参考資料

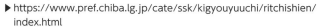

☑ **企業立地支援・誘致政策（千葉県）**

千葉県の企業誘致政策をまとめたページ。いろいろ検索してみると面白い。地域経済の活性化及び雇用の確保などを促進するため、県内に立地をする企業の皆様に対して、資金面での優遇制度を設けているね。

▶ https://www.pref.chiba.lg.jp/cate/ssk/kigyouyuuchi/ritchishien/index.html

☑ **UIJターン就業・創業移住支援事業（長野県）**

長野県と県内市町村では、県内への移住の促進を図るため、大都市圏から移住し、県内で就業または創業をしようとする者に対し、移住支援金を支給している。

▶ https://www.pref.nagano.lg.jp/rodokoyo/sangyo/rodo/koyo/kyufukin/20190401.html

☑ **関係人口ポータルサイト（総務省）**

関係人口について詳しくまとまっているサイト。各地の取組事例はもちろん参考になるが、これから関係人口になろうとする人に向けて、「関係人口マッチング・ナビ」も用意しているね。ここから全国の各地の情報を見ることができるよ。

▶ https://www.soumu.go.jp/kankeijinkou/index.html

テーマ 26 | 空き家

例題

　近年、全国各地で空き家の発生が顕著となってきた。空き家が発生する原因とそこで引き起こされる問題を挙げ、今後空き家問題を解消するために行っていくべき取組みについて、あなたの考えを述べなさい。

ここからSTART

空き家が発生する原因とそこで引き起こされる問題には点数が振られていることが分かるので、しっかりと書くようにしよう。取組みについては、現行法がどうなっているのかに触れつつ論じると説得力が増す。

合格答案例の構成

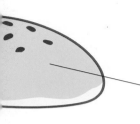

導入部分

空き家数や空き家率はそれぞれ過去最大
- 原因 → 相続による管理不行き届き、解体費用の出し渋り など
- 空き家が引き起こす問題 → 景観や治安の悪化、ごみの不法投棄場所、放火や不法侵入など犯罪の温床、災害時に道路や避難経路をふさいでしまう危険

取組み①

情報提供の徹底
- 専門家が個別に相談に応じる行政窓口を設置、説明会を開催して、適宜必要な情報を提供していく
- 特に、解体費用の助成制度の周知は効果的

取組み②

空き家バンクの活用
- 空き家バンクの登録促進に向けたさらなる制度周知に取り組む

取組み③

公共への転用
- 近時、新たな転用促進策を打ち出す自治体が増えている → 東京都文京区では「空家等対策事業」

まとめ

空き家所有者に対して適正な管理を促し、新たなる空き家の有効活用の方途を探る

合格答案例

近時、**空き家数や空き家率はそれぞれ過去最大[1]**となっており、特に「利用目的のない空き家」が増加し続けている点が特徴である。空き家が増加する原因として、相続による管理不行き届き、**解体費用の出し渋り[2]**などが考えられるが、そもそも所有者が自己の取り得る適切な手段を把握できていないことが多い。空き家が引き起こす問題も多岐にわたる。例えば、景観や治安の悪化をもたらすだけでなく、ごみの不法投棄場所となったり、放火や不法侵入など犯罪の温床となったりするおそれがある。また、災害時に空き家が倒壊すると、道路や避難経路をふさいでしまう危険もはらんでいる。このように、今や空き家問題は喫緊に解決すべき課題である。では、今後空き家問題を解消するために行っていくべき取組みは何か。以下具体的に述べる。

第一に、情報提供の徹底である。多くの空き家所有者は適切な管理方法に関する知識が不足している。そのため、やむを得ず空き家を放置してしまうケースが頻繁に見受けられる。そこで、まずは所有者に対し必要な情報を提供し、管理を徹底するよう呼びかけることが必要である。例えば、管理の活用方法などで悩みを抱えている所有者に対して、専門家が個別に相談に応じる行政窓口を設置したり、説明会を開催したりして、適宜必要な情報を提供していくことが求められる。特に、**解体費用の助成制度[3]**の周知は、金銭的理由により空き家を放置している所有者の行動を後押しする効果につながる。

---

[1] 空き家数や空き家率はそれぞれ過去最大

総務省によると、2023年の国内の空き家数は900万戸で過去最多、空き家率も13.8%で過去最高となっている（「住宅・土地統計調査」より）

[2] 解体費用の出し渋り

費用面でいうと、固定資産税の問題もある。住宅が建てられている土地に対しては固定資産税の優遇措置があるので、取り壊さないんだ。でも法改正により、危険性が高い「特定空き家」や「管理不全空き家」は優遇措置の対象外になっている。

[3] 解体費用の助成制度

空き家の解体費用を助成する制度を設けている自治体は多いよ。各自治体によって補助金の上限は大きく異なるし、条件も異なる。受験先の助成制度を確認しておこう。

第二に、空き家バンクの活用である。空き家バンクとは、**市区町村が提供する空き家のマッチングサービス4** で、行政が窓口となって、空き家を売りたい、貸したい人と、それらを買いたい、借りたい人をつなぐため、安心して利用することができる。今後は、**外部からの移住希望者だけでなく、自治体内の利用希望者の増加をも視野に入れて、空き家バンクの登録促進に向けたさらなる制度周知に取り組む必要がある5**。また、空き家バンクに登録することを条件に各種補助金を支給することも有効な手段である。例えば、リフォーム費用、家財処分費用、空き家の日常的な管理費用など、所有者の具体的なニーズに応じた補助金を用意することが考えられる。

 　第三に、**公共への転用6** である。近時、新たな転用促進策を打ち出す自治体が増えている。例えば、東京都文京区では「空家等対策事業」として、空き家を解体する際に、区が除却に要した費用を補助し、除却後の跡地について、所有者から区が無償で原則 10 年間借り受け、公共目的で使用するという取組みを行っている。実際に、跡地にはベンチなどが設置され、地域コミュニティの形成のための憩いの広場として活用されたり、火災用の消火器具置場として活用されたりしている。これは、行政と住民が協働して行政的課題の解決にあたる好事例と言える。そして、所有者と行政の双方にメリットを与えながら空き家を減少させることができるため、今後、さまざまな用途への活用が期待される。

 　今後、我が国の人口が減少していく中では、空き家の増加に歯止めをかけることは難しいだろ

4 市区町村が提供する空き家のマッチングサービス

都道府県も、市区町村や宅地建物取引業協会と連携して、空き家バンクの運営に関わっているよ。

5 外部からの移住希望者だけでなく、自治体内の利用希望者の増加をも視野に入れて、空き家バンクの登録促進に向けたさらなる制度周知に取り組む必要がある

和歌山県の空き家バンクでは、VR（仮想現実）で建物内部を見ることができる。このような取組みが効を奏し、登録件数が過去最高になっているよ。

6 公共への転用

空き家を民泊へ転用する事例も見られる。観光の場面において宿泊施設の受け皿を増やす取組みとして注目されている。

う。しかし、地域社会の協力と創意工夫により、空き家を地域の資源として活用し、新たな価値を創出することは可能だ。官民一体となった取組みと柔軟な発想で、この課題を地域活性化の機会へと転換していくことが重要である。

（1365 文字）

ここがＰＯＩＮＴ

取組みとして重要性が増しているものとして、代執行の活用がある。これは、特定空家などを所有者に代わって行政が強制的に解体・除去を行うことをいい、特定空家などの所有者が特定できない場合には、略式代執行というものも可能だ。でも、実行例が少なく、積極活用すべき、という論調はやや現実性に乏しいので、今回はカットしておいた。

オススメ参考資料

☑ **古い空家住宅の解体費助成（東京都荒川区）**

荒川区では、安全で安心して住める災害に強い街づくりを推進するため、古い空家住宅を解体する際に、解体費の一部を助成している。解体に要する費用の3分の2の額かつ、1件につき100万円を上限として補助している。

▶ https://www.city.arakawa.tokyo.jp/a041/seikatsu/sumai/rokyuakiya_jyosei.html

☑ **空き家バンク登録・成約促進事業補助金（新潟県長岡市）**

長岡市では、空き家バンクの活用促進のため、空き家に残存する家財等処分費、ハウスクリーニング等清掃費、物件のリフォーム等に係る費用の一部を買主に補助しているよ。買い手にとってはメリットになる。

▶ https://www.city.nagaoka.niigata.jp/kurashi/life03/vacant-register.html

☑ **空家等対策事業（東京都文京区）**

文京区の空家等対策事業。区が空き家の解体費用を助成する代わりに、解体後の跡地を区が所有者から10年間無償で借り受けて、広場や消火器具置場などの公共目的のために使用するというもの。かなり珍しい取組みなので要チェック。

▶ https://www.city.bunkyo.lg.jp/bosai/machizukuri/akiyataisaku/akiyataisaku.html

テーマ 27 | 交通

頻出度 ★★★

（例題）

　現在、全国各地で地域の移動手段をどう維持・確保していくかが課題となっている。このような現状を踏まえ、誰もが快適に利用できる持続可能な地域公共交通を実現していくために、行政はどのような取組みを行う必要があるか、あなたの考えを述べなさい。

＼ここからSTART／

地域公共交通の現状を簡単に示す必要があるね。需要の減少や人手不足などを上手く盛り込んで書くと上手にまとめられると思うよ。

合格答案例の構成

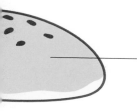

導入部分

需要が縮小、事業主体の経営の悪化
- 厳しさを増している
- 一方で、高齢者の運転免許の返納で足の確保が課題

取組み①

デマンド運行の整備
- 自治体が主体となってエリア内の交通網、路線計画を組み直し、デマンド運行を整備していく
  - → 例えば、民間との連携により乗合タクシー事業を展開する

取組み②

自動運転バスの定常運行に向けた取組み
- 「レベル4」の自動運転解禁
  - → これにより、特定の条件を満たせば、遠隔監視による無人での自動運転が可能
  - → 先行事例を参考に、自動運転バスの定常運行に向けて実証実験を進めていく

取組み③

ライドシェアの導入に向けた取組み
- 自家用有償旅客運送と自家用車活用事業とがある
  - → 前者は既に数多くの導入例が見られる
  - → 後者は2024年4月に解禁された新しい制度

まとめ

全体調整を行政が率先して行い、地域の足の確保に努めていく

合格答案例

現在、多くの地域で人口減少が進み、電車やバスをはじめとする地域公共交通への需要が縮小している。それに伴い、事業主体の経営が悪化し運転者不足の深刻化なども相まって、地域公共交通の維持・確保が厳しさを増している。一方、高齢者の運転免許の返納が増加していることを踏まえると、その受け皿としての移動手段の確保は今後ますます重要な課題となってくる。地域公共交通を活性化することは、交通分野にとどまらず、まちづくりや観光、さらには健康、福祉、教育など、さまざまな分野で付加価値をもたらす。では、誰もが快適に利用できる持続可能な地域公共交通を実現していくために、行政はどのような取組みを行う必要があるか。以下具体的に述べる。

第一に、デマンド運行の整備である。昨今、電車やバスの廃線の埋め合わせとして定時定路線型のコミュニティバスの運行が模索されてきた。この取組みは、路線バスを補完する役割を果たしており、有効性が確認されている。しかし、これをもってしても地域全域をくまなくカバーすることができないという問題や、利用者の状況に合わせた柔軟な運行を実現することが困難であるという問題があった。そこで、今後は住民の意見を踏まえて、**自治体が主体となって**[1]エリア内の交通網や路線計画を組み直し、デマンド運行を整備していく必要がある。例えば、民間との連携により乗合タクシー事業を展開することなどが考えられる。これは、ICT（情報通信技術）を活用した

[1] 自治体が主体となって

法律では、市町村が主体的に地域公共交通の活性化・再生に取り組むように努め、都道府県は、各市区町村を越えた広域的見地から市町村と密接な連携を図り、活性化・再生に取り組むとされている。

配車システムであり、予約状況に応じて効率的なルートで運行できる点にメリットがある。

　　　　第二に、自動運転バスの定常運行に向けた取組みである。2023年4月、「レベル4」の自動運転車を活用した公道での巡回サービスが解禁となった。これにより、自動運転バスについても特定の条件を満たせば、遠隔監視による無人での自動運転が可能となる。そこで、行政は、先行事例を参考に、**自動運転バスの定常運行に向けて実証実験を進めていくことが必要**[2]である。

　　　　第三に、ライドシェアの導入に向けた取組みである。これには、交通空白地をなくすため、国土交通大臣の登録を受けた市町村、NPOなどが自家用車を用いて有償で運送する自家用有償旅客運送と、タクシー事業者が運行主体となって大都市圏を運行することを想定した自家用車活用事業とがある。**前者は既に数多くの導入例**[3]が見られるが、**後者は2024年4月に解禁された新しい制度**[4]であり、タクシーが不足する地域、時期、時間帯において、その不足分を補う手段として、また観光需要の増加による移動手段確保の手段として注目されている。このような規制緩和の流れを一つのきっかけとして、各地域の事情や住民のニーズに合わせて、行政が主導して導入を呼びかけていくことが求められる。

　　　　持続可能な地域公共交通の実現のためには、複数の手段を確保し、それぞれの特徴を活かしながら、役割分担を決めていく必要がある。そして、その全体調整を行政が率先して行い、住民の理解を得ながら、地域の足の確保に努めていかなければならない。

（1253文字）

[2] 自動運転バスの定常運行に向けて実証実験を進めていくことが必要

東京都でも西新宿エリアで期間限定の自動運転バスが運行したよ。東京都では、自動運転技術を活用したまちづくりを推進しているんだ。

[3] 前者は既に数多くの導入例

2023年3月末時点で580以上の自治体で導入済みだよ。

[4] 後者は2024年4月に解禁された新しい制度

タクシー事業者の管理の下で地域の自家用車や一般ドライバーによって有償で運送サービスを提供する形をとるよ。

ここがＰＯＩＮＴ

取組みとしては、なるべく最新の時事を反映させる必要がある。レベル４の解禁や自家用車活用事業の解禁は話題性もあるので、盛り込むと説得力が増すだろう。メリット・デメリットを付記するとよりよくなるね。

オススメ参考資料

☑ **東金市乗合タクシー（千葉県東金市）**
利用者の予約に応じて、「東金市乗合タクシー」のステッカーを貼ったタクシーが、利用者の自宅から市内公共施設、病院・診療所、商業施設まで同じ時間帯の利用を希望した人を一緒に送迎する仕組みとなっている。
▶ https://www.city.togane.chiba.jp/0000000765.html

☑ **境町で自動運転バスを定常運行しています【自治体初！】（茨城県境町）**
MiCa(ミカ)という車両が日本で初めて導入された。片道約2kmのルートを運行する。誰でも無料・予約無しで乗車できるみたいだよ。「境町自動運転バス（ARMA & Mica)運行情報」というＸアカウントもあるよ。
▶ https://www.town.ibaraki-sakai.lg.jp/page/page002440.html

☑ **県内で自家用車活用事業が始まりました！（埼玉県）**
自家用車活用事業、いわゆる「日本型ライドシェア・日本版ライドシェア」について、埼玉県内のタクシー事業者15社が国の許可を取得したよ。タクシー事業者の管理の下で、地域の自家用車・一般ドライバーを活用して有償で運送サービスを行う。
▶ https://www.pref.saitama.lg.jp/a0109/taxi/nrs.html

テーマ 28 | シェアリングエコノミー | 頻出度 ★★

例題

　現在、インターネットやスマートフォンの普及により、シェアリングエコノミーの市場規模が拡大している。それとともに、シェアリングエコノミーはさまざまな地域課題の解決にも資する新しい共助の仕組みとして注目を集めるようになってきた。今後、行政はどのような場面でシェアリングエコノミーを活用していくべきか、あなたの考えを述べなさい。

ここからSTART

本来的にはシェアリングエコノミーのメリデメを考えるといいんだけど、今回は「行政の活用場面」を聞いているので、公共分野のシェアリングエコノミーの活用事例を把握しておくことが求められる。分野別に段落を分けて書いていこう。

合 格 答 案 例 の 構 成

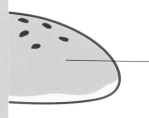

導入部分

シェアリングエコノミーの定義
- 互いに助け合う「共助の仕組み」として、地域活性化の手段として、脚光を浴びてきた

取組み①

生活部門
- 子育て支援 → 育児用品のシェアや一時的な託児サービスの提供
- 災害対策 → 建物や物資、情報、人材などをシェア

取組み②

観光部門
- 魅力的な体験型サービスや空き家を活用した民泊、グリーンツーリズムなどを民間事業者との連携のもと提供していく

取組み③

モビリティ部門
- シェアリングエコノミーを地域の足として活用していく
  → デマンド運行を通じて、地域住民の移動手段を確保していく
  → ライドシェア解禁

まとめ

地域課題を解決するための手段として今後も活用され続ける
- 民間事業者と連携

合格答案例

シェアリングエコノミーとは、個人等が保有する活用可能な資産等（スキルや時間等の無形のものを含む）をインターネット上のマッチングプラットフォームを介して他の個人等も利用可能とする経済活性化活動をいう。人口減少社会を迎える中で、多様な人々を包摂し、互いに助け合う「共助の仕組み」として、また地域活性化の手段として、近年シェアリングエコノミーが脚光を浴びてきた。では、今後、行政はどのような場面でシェアリングエコノミーを活用していくべきか。以下、生活部門、観光部門、モビリティ部門に分けて述べる。

第一に、生活部門では、子育て支援や災害対策に活用していくべきである。まず、子育て支援については、**育児用品のシェア**[1]や一時的な託児サービスの提供を行い、子育て世帯の負担軽減につなげていくことが考えられる。これにより、ライフスタイルが多様化した社会においても、柔軟に子育てを行う環境を整備していくことが可能となる。次に、災害対策については、共助の取組みを強化するための活用が考えられる。例えば、建物や物資、**情報、人材**[2]などをシェアすることなどが挙げられる。災害時に迅速に対応できるよう、平時から民間事業者や他の自治体との連携を深めておくことが大切である。

第二に、観光部門ではすでに多くのシェアリングエコノミーが使われている。今後はより一層、劇的な社会変化にも耐えうる基盤づくりを、シェアリングエコノミーの活用によって進めていくべきである。そのた

[1] 育児用品のシェア

モノのシェアで言うと、東京都町田市は、各家庭で、不要となったのにまだ使えるベビー用品を無料で回収し、必要とする人に無料で配布する事業を行っているね。

[2] 情報、人材

他の自治体と連携し、シェアリングプラットフォームを通じて、人材や情報を共有する事例があるよ。

め、それぞれの地域が持つ資源を活用し、魅力的な体験型サービスや空き家を活用した民泊、グリーンツーリズムなど、ほかではできない特別な観光を民間事業者との連携のもと提供していく必要がある。もっとも、サービスの安全性の確保や周辺住民への影響などには別途配慮していかなければならない。そこで行政は、利用ガイドラインの作成や旅行者へのマナーの周知を通じて、無用なトラブルの発生を未然に防ぐよう努めていかなければならない。

ここでも使える！
テーマ 35
観光対策

第三に、モビリティ部門については、シェアリングエコノミーを地域の足として活用していく取組みが必要である。現在、地方では公共交通の衰退が叫ばれており、これと免許返納の流れとが相まって、地域住民の移動に困難が生じつつある。そこで、デマンド運行③を通じて、地域住民の移動手段を確保していくことが求められる。例えば、千葉県東金市では、買物や通院など、日常の移動手段として使える乗合タクシー事業を行っている。事前に利用者登録をしたうえで、自宅から目的地まで同じ時間帯の利用を希望した人と乗合いで送迎するというサービスだ。今後はライドシェア④の解禁に伴い、さらに一歩進んだ独自の地域公共交通を整備することも必要となってくるだろう。

ここでも使える！
テーマ 27
交通

③ **デマンド運行**
利用者の予約に応じて運行する時刻や経路が変わる交通のこと。予約があるときだけ運行されるよ。

④ **ライドシェア**
2024 年 4 月から東京などの一部地域ではタクシー事業者が運営主体となって、一般のドライバーが自家用車を使って人を運ぶ「日本版ライドシェア（自家用車活用事業）」が解禁されたよ。

シェアリングエコノミーは、地域課題を解決するための手段として今後も活用され続けることが予想される。そのため、行政はこれまで以上に民間事業者と連携して、創意工夫のもと住民サービスの向上に向けて取組みを進めていかなければならない。

（1238 文字）

ここがPOINT

シェアリングエコノミーに対する利用者の不安としては、安全性が挙げられる。今回の問題では聞かれていないので大展開する必要はないけど、触れられると加点になるだろう。不安を解消するために、事業者向けのガイドラインの設定、認証制度や保険制度の構築などが考えられるね。特に個人情報の取扱いについては注意が必要だよ。

オススメ参考資料

☑ **シェアリングエコノミーの推進（デジタル庁）**
「シェアリングエコノミー活用ハンドブック（2022年3月版）」はシェアリングエコノミーのことを知りたい人におススメ。シェアリングエコノミーを活用した地域課題の解決について事細かく書かれている。事例の紹介のみならず、事例の分析結果から、効果や取組みのポイントがまとめられている。
▶ https://www.digital.go.jp/policies/sharing_economy/

☑ **ベビー用リユース品回収会・配布会（東京都町田市）**
不要となったのにまだ使えるベビー用品を無料で回収し、必要な人に無料で配布する事業。年数回、「回収会」と「配布会」を開催しているよ。「ベビーカー」や「ベビーベッド」などの大型ベビー用品、「靴」や「帽子」などの服飾小物やベビー向けおもちゃなどさまざまなモノがシェアされている。
▶ https://www.city.machida.tokyo.jp/kurashi/kankyo/gomi/event/riyusutorikumu/reuse-no-hi.html

☑ **東金市乗合タクシー（千葉県東金市）**
地域公共交通として、買物や通院など、日常の移動手段として利用できるんだ。利用には事前に登録が必要だよ。予約すると、「東金市乗合タクシー」のステッカーを貼ったタクシーが、利用者の自宅から市内公共施設、病院・診療所、商業施設まで同じ時間帯の利用を希望した方と乗合いで送迎するんだ。
▶ http://www.city.togane.chiba.jp/0000000765.html

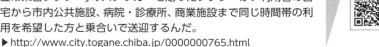

テーマ 29 | 地球温暖化

頻出度 ★★

例題

　政府は、2050年までに温室効果ガスの排出を全体としてゼロにするカーボンニュートラルの実現を目標として掲げている。これを受け、地方自治体の多くはゼロカーボンシティ宣言を表明するに至っている。このような現状を踏まえ、今後カーボンニュートラルを実現するために、行政としてどのような取組みを行っていくべきか、あなたの考えを述べなさい。

ここからSTART

カーボンニュートラルの考え方を示すことから始めよう。そうすれば、取組みの方向性が明らかになるよ。温室効果ガスの排出量を削減し、吸収または除去する量を増やすことが大切なんだ。

合 格 答 案 例 の 構 成

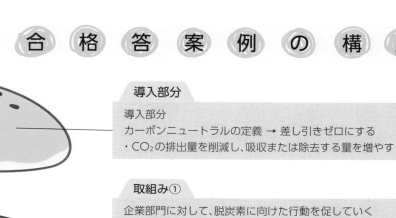

導入部分

導入部分
カーボンニュートラルの定義 → 差し引きゼロにする
・CO_2の排出量を削減し、吸収または除去する量を増やす

取組み①

企業部門に対して、脱炭素に向けた行動を促していく
- IoTを活用したエネルギーの「見える化」を促す
- 積極的に脱炭素社会に向けて活動する企業や、環境に関する CSR活動に取り組む企業を広く紹介
- 電力購入を実質再生可能エネルギー由来に切り替えるよう 呼びかける

取組み②

家庭部門に対して、新しい国民運動である「デコ活」を推進
- クールビズ・ウォームビズや省エネ家電への買い替え促進 など
- 住宅への太陽光パネルの設置を加速し、自家消費モデルの 構築

取組み③

吸収量を増やす取組みと除去するための取組み
- 緑化の推進
- ネガティブエミッション技術への支援

まとめ

地球温暖化は、日本だけでなく全世界が直面している喫緊の 課題
- さまざまなアプローチから取組みを加速

合格答案例

　　カーボンニュートラルとは、温室効果ガスの排出量から吸収量と除去量を差し引いた合計をゼロにすることを意味する。これを実現するためには、CO_2 の排出量を削減し、吸収または除去する量を増やすことで、差し引きゼロに近づけていくことが必要となる。では、このようなカーボンニュートラルを実現するために、行政としてどのような取組みを行っていくべきか。以下具体的に述べる。

　　第一に、企業部門に対して、脱炭素に向けた行動を促していくべきである。というのも、排出量の上位は産業部門や運輸部門などの企業であり、カーボンニュートラルを達成するためには、企業の温室効果ガス削減が必要不可欠だからである。そこで、特にエネルギーを多く使用する業種、例えば鉄鋼、化学、セメント、紙・パルプなどを中心に、IoT を活用したエネルギーの「見える化」を促し、設備運用の改善や、自動制御などの工場のエネルギー管理を見直す契機を作っていくべきである。また、積極的に脱炭素社会に向けて行動する企業や、環境に関する CSR 活動に取り組む企業を広く紹介し[1]、温暖化防止対策に対する意識向上を図ることが求められる。さらに、電力購入を実質再生可能エネルギー由来に切り替えるよう呼びかけることも必要だ。省エネと再生可能エネルギーへの投資を組み合わせることで、排出量ゼロにより近づきやすくなるからである。

[1] 積極的に脱炭素社会に……企業を広く紹介し
神奈川県は「かながわ脱炭素チャレンジ中小企業認証制度」を用意し、事業活動の脱炭素化に向けて自主的かつ計画的に取組みを進めようとする中小企業等を県が認証しているよ。

第二に、家庭部門に対して、新しい国民運動である「デコ活」[2]を推進し、消費者の行動やライフスタイルの変革につなげていくことが求められる。例えば、クールビズ・ウォームビズや省エネ家電への買い替え促進などの脱炭素なライフスタイルへの転換を推奨したり、自動車から自転車への移動手段の転換を促したりすることなどが考えられる。このように、環境負荷を減らすためには生活自体をエコに切り替えていくことが肝要[3]である。また、今後は再生可能エネルギーをより一層活用する観点から、住宅への太陽光パネルの設置を加速し、自家消費モデルの構築に努めていくべきであろう。ただ、これを実現するには、蓄電池の購入・設置が不可欠となるため、行政は補助金を設けるなどして、家計の負担をできる限り減らしていくことが求められる。

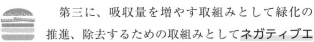　第三に、吸収量を増やす取組みとして緑化の推進、除去するための取組みとしてネガティブエミッション技術[4]への支援を行っていくべきである。まず、緑化の推進にはさまざまなものがある。例えば、建物の屋上や壁面を緑化したり、校庭を芝生化したりすることでヒートアイランドの緩和を図ることが挙げられる。また、植林を通じて吸収源を増やすことや既存の森林を守る[5]ことで吸収源を確保することも考えられる。一方のネガティブエミッションとは、排出をマイナスにする技術を指す。これには、大気中から直接 CO_2 を分離・回収する技術と地中に貯留する技術を組み合わせた「DACCS」、バイオマスを燃焼または発酵させることで排出される CO_2 を回収・貯留する技術である「BECCS」がある。社会実装までに

[2]「デコ活」

「脱炭素につながる新しい豊かな暮らしを創る国民運動」の愛称だよ。二酸化炭素（CO_2）を減らす（DE）脱炭素（Decarbonization）と、環境に良いエコ（Eco）を含む"デコ"と活動・生活を組み合わせた造語。

[3] 環境負荷を減らすためには生活自体をエコに切り替えていくことが肝要

ほかにも、家庭で発生する食品ロスを減らすことやレジ袋などのワンウェイプラスチックの使用を避けることなども CO_2 の削減につながる。さらに、サステイナブルファッションも注目されている。

[4] ネガティブエミッション技術

CDR（二酸化炭素除去）を可能にする技術を、「ネガティブエミッション技術（NETs）」と呼ぶよ。CDR が、ネットゼロを目指す上で、完全な脱炭素化が困難なセクターにおける残余排出量を相殺するために不可欠な役割を担うとされている。

は時間を要するが、長期的に見れば、これらの新しい技術の研究開発を産学官連携で進めていくことは必要な取組みであるといえる。

　今や地球温暖化は、日本だけでなく全世界が直面している喫緊の課題である。目下、CO_2排出量が上位にあるわが国においては、カーボンニュートラルを実現する意義は特に大きい。そこで、今後も行政はさまざまなアプローチから取組みを加速させていく必要がある。

（1423文字）

5 既存の森林を守る

森林は適度に間伐しないとCO_2の吸収量が減っちゃうんだ。つまり、吸収量は、間伐しなかった森林よりも間伐をした森林の方が多くなると考えられているよ。

ここがPOINT

自治体レベルであれば、「行政が率先して施設の消費する年間の一次エネルギーの収支をゼロにする ZEB（ネット・ゼロ・エネルギー・ビル）化に取り組む必要がある」と書いてもいいだろう。例えば、福岡県久留米市では、公共施設の ZEB 化改修が進められている。このように、行政が率先して ZEB 化に取り組む姿勢を見せることで、ゼロカーボンシティの実現に向けた機運を作り出すことができるね。

オススメ参考資料

デコ活（環境省）
新しい国民運動である「デコ活」を紹介するページ。2050年カーボンニュートラルと2030年度削減目標の実現に向けて、国民・消費者の行動変容、ライフスタイル変革を強力に後押しするために環境省が行っているんだ。
▶ https://ondankataisaku.env.go.jp/decokatsu/

「吸収・除去系カーボンクレジット創出促進事業」（東京都）
東京都では、「ゼロエミッション東京」の実現に向けて、都内の自然資源を活用し、CO_2 を吸収・除去することで生まれるカーボンクレジットの創出を促進する事業を新たに実施するようだ。
▶ https://www.metro.tokyo.lg.jp/tosei/hodohappyo/press/2024/06/10/06.html

知っておきたいエネルギーの基礎用語（資源エネルギー庁）
カーボンニュートラルを達成する上で重要な役割を果たすのが「CDR」だ。これがどんなものでどのような手法があるのかを学ぶことができる。やや発展的だけど、今のご時世には欠かせないので一読しておこう。
▶ https://www.enecho.meti.go.jp/about/special/johoteikyo/cdr.html

テーマ 30 | 食品ロス

頻出度 ★

例題

食品ロスの現状とその削減の必要性について触れ、今後食品ロスを削減していくために各主体が取り組むべきことを述べなさい。

ここからSTART

食品ロスについて現状や削減の必要性を書く前に一言定義を入れておきたいね。現状はデータを示し、必要性は思い浮かんだことを複数書くとよいと思う。これについては絶対的な正解はないので、自分の頭で考えて書くことが大切だ。

合 格 答 案 例 の 構 成

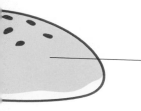

導入部分

食品ロスの現状、削減の必要性
- 総量（約472万トン）、内訳
- SDGs

取組み①

事業者
- フードチェーン全体での解決
  →食品の納入期限の緩和や賞味期限表示の年月表示（商慣習自体の見直し）
- 包装の工夫や個包装など
- 「てまえどり」の呼びかけ
- ドギーバッグの導入

取組み②

消費者
- 消費行動の見直しと食べきり
- 保存方法の工夫や調理方法の工夫
- 食品期限表示の理解

取組み③

行政
- 各主体への呼びかけ
- 「食品ロス削減月間」の周知及び取組みの啓発
- フードバンクとの連携・支援

まとめ

食品ロスを減らすためにはさまざまな主体の連携・協力が重要

合格答案例

食品ロスとは、本来食べられるにもかかわらず捨てられてしまう食べ物のことをいう。現在、わが国の食品ロスは約472万トンに上り、その内訳は事業系、家庭系がそれぞれ約236万トンとなっている。また、2015年に採択された「**持続可能な開発目標（SDGs）[1]**」にも世界全体の一人当たりの食料の廃棄を半減させることが目標として掲げられている。食品ロスは、ごみを減らし環境負荷を低減していくためだけでなく、貴重な食料資源を無駄なく活用するという観点からも、削減していく必要がある。では、今後食品ロスを削減していくために各主体が取り組むべきことは何か。食品ロスを削減するためには、事業者、消費者、行政など各主体が取り組む必要があるため、以下それぞれに分けて述べる。

第一に、事業者の取組みについては、現在、過剰在庫や返品等によって発生する食品ロスを減らすために、フードチェーン全体での解決が図られている。既に小売店への納入期限を賞味期限の3分の1の時点までとする「3分の1ルール」を緩和したり、製造から3カ月を超える食品の賞味期限表示を年月表示へと切り替えたりする取組みが実施されているが、今後も商慣習自体の見直しを不断に行うことで廃棄せざるを得ない食品ロスを減らしていく必要がある。また、包装を工夫したり、一人前ずつの個包装にしたりすることによって食べ残しを防ぐことも可能となる。特に小売店は食品棚の「**てまえどり[2]**」を呼びかけていくことが効果的であろう。なぜなら、消費者

[1] 持続可能な開発目標（SDGs）
2001年に策定されたミレニアム開発目標（MDGs）の後継として、2015年9月の国連サミットで採択された「持続可能な開発のための2030アジェンダ」にて記載された、2030年までに持続可能でよりよい世界を目指す国際目標のこと。17のゴール・169のターゲットから構成され、地球上の「誰一人取り残さない（leave no one behind）」ことを誓っているよ。

[2] てまえどり
商品棚の手前にある商品や値引き商品などの販売期限が短い商品を積極的に選ぶ、購買行動のことだよ。棚の奥に手を突っ込んで賞味期限が後の物を選ぼうとする人はまだまだ多いからね。

の過度な鮮度志向や購買行動が食品ロスにつながっているケースも多く見られるからである。さらに、飲食店などでは、食中毒などのリスクに関する合意を前提として、食べ残した料理を持ち帰るための容器（ドギーバッグ）を導入することも検討していくべきである。

　　　第二に、消費者は、各自で消費行動を見直し、食べきりを心がけるべきである。そのためには、まず食品ロスを計算し記録することで、現状を把握することから始めなければならない。そのうえで、家にある食材・食品をチェックし、食べきれる分だけ買うことを心がけるのである。また、食品の保存方法を工夫したり、他の料理に作り替えるなど調理方法を工夫したりすることも大切である。加えて、**賞味期限、消費期限③**の2種類の食品期限表示の正しい理解も必要になる。なぜなら、これらの区別がついていないことが、食品ロスにつながると考えられるからである。

　　　第三に、行政は、食品ロス削減に向けた行動を各主体に呼びかけていくべきである。例えば、食品ロスを減らすためのリーフレット作成や楽しく取り組める教材の開発、食品ロスの発生状況や取組み事例の紹介、出前授業や地域イベントでの啓発活動などが考えられる。また、食品ロス削減推進法は、毎年10月を「食品ロス削減月間」と定め、10月30日を「食品ロス削減の日」としているため、これらの周知と取組みの啓発を継続的に行っていく必要がある。一方、**フードバンク④**との連携やこれに対する支援も求められる。フードバンクとは、生産・流通・消費などの過程で発生する未利用食品の寄付を受けて、

③ 賞味期限、消費期限
賞味期限は、品質が変わらずおいしく食べることができる期限だ。一方、消費期限は安全に食べることができる期限のこと。

④ フードバンク
もともとアメリカで始まった取組みだよ。日本においては、農林水産省が活動を把握しているフードバンクが272団体ある（令和6年5月14日）。

必要としている人や施設などに提供する団体である。そして、このフードバンクへの仲介役として重要な役割を果たすのがフードドライブの活動である。家庭レベルで余った食品を回収する事業であり、自治体の公共施設に食品回収窓口が設けられているケースが多い。さらに、近年は地域の飲食店で余った食品の販売をインターネット上で仲介するサービスを開始する例も見られる[5]。このような一連の取組みは、受益者や支援者はもちろん、食品ロスを抑制することを目指している行政も環境負荷の低減という恩恵を受けられるため、今後、より一層の活用が期待される。

　このように、食品ロスを削減するためには、さまざまな主体が連携・協力しながら取り組んでいくことが重要である。私たち消費者も日常の生活の中で今できることを考え、一人ひとりが主体的な行動をとっていかなければならない。

（1644 文字）

[5] インターネット上で仲介するサービスを開始する例も見られる

東京都東大和市では、市が管理するシステムに、市内の飲食店が登録し、余って廃棄されそうな商品を割引価格で出品し、事前登録を済ませたユーザーが予約購入できるんだ。

ここがＰＯＩＮＴ

今回は事業者、消費者、行政という分け方にして取組みを書いていったけど、行政の取組みを問われた場合には、対事業者、対消費者という切り口で構成を分けていくといいよ。

オススメ参考資料

☑ **フードドライブにご協力ください！（東京都江東区）**
江東区のフードドライブの活動が書かれているページ。常設回収場所や持ち込める食品の条件、種類などがまとまっているので、イメージを持つためには有益。自分の受験する自治体のHPを見るとより詳細が明らかになるだろうね。
▶ https://www.city.koto.lg.jp/381104/kurashi/gomi/5r/fooddrive.html

☑ **食品ロスポータルサイト（環境省）**
食べ物を捨てない社会に向けて、消費者向け、自治体向け、事業者向けなどに分けて、情報を発信している。字が大きく、ビジュアル的にもとてもわかりやすいので、小論文対策にとって有益だ。コンパクトに全てがまとまっているサイトと言える。
▶ https://www.env.go.jp/recycle/foodloss/index.html

☑ **食品ロス・食品リサイクル（農林水産省）**
こちらも食品ロス全般を全てまとめたページ。食品ロスだけでなく食品リサイクルについても知ることができるので、発生した廃棄物の再生利用について詳しく知りたい受験生はこちらもチェックしてみるとよいだろう。また、商慣習検討やフードバンクについても勉強になる。各ページに飛べるようになっているので便利だね。
▶ https://www.maff.go.jp/j/shokusan/recycle/syoku_loss/

テーマ 31 ｜ 廃プラスチック ｜ 頻出度 ★

（例題）

　環境省によると、1950年以降に生産されたプラスチックは83億トンを超え、そのうち63億トンがごみとして廃棄されてきた。このような背景を踏まえ、廃プラスチックを削減していく必要性と、行政がなすべき取組みについて、あなたの考えを述べなさい。

＼ ここから START ／

廃プラスチックを削減していく必要性は問題の所在につながるので、なるべく幅広く指摘したいところだ。【合格答案例】には書かなかったけど、廃プラスチックの有効利用率（リサイクル率）が低いことなども問題とされているよね。

合 格 答 案 例 の 構 成

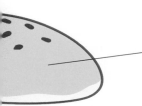

導入部分

わが国の現状・現況
- 廃プラスチックを削減していく必要性
  - →地球温暖化、保管量が増大、海洋プラスチックによる環境汚染など

取組み①

消費者に対する取組み
- ライフスタイルの変革
  - →プラスチックフリーの製品を選ぶ消費行動の喚起
- 無償配布をやめ、有料化する
  - →レジ袋の有料化義務
- マイボトルの持参を呼びかける

取組み②

企業に対する取組み
- プラスチックの製造や利用を控えるよう呼びかけ
  - →CSRへの意識を高めていく
- プラスチックの発生抑制や代替促進に成功した企業活動を随時紹介
- バイオプラスチックの活用を呼びかける
  - →製品開発企業に対する助成制度

まとめ

廃プラスチックを削減していくためには意識の変革が不可欠

合格答案例

日本は、一人当たりのプラスチック容器包装廃棄量が世界第２位と報告されており、この問題に対する環境保護対策の重要性が高まっている。プラスチックを削減していくことの必要性はさまざまあるが、プラスチックは製造する際にも燃やして廃棄する際にも二酸化炭素を発生させ地球温暖化につながること、アジア諸国における廃プラスチックの輸入規制を受け、日本国内での廃プラスチックの保管量が増大していること、海洋プラスチック等による環境汚染[1] が世界的な課題になっていること、などが挙げられる。では、今後廃プラスチックを削減していくために、行政がなすべき取組みは何か。以下具体的に述べる。

第一に、消費者に対する取組みが必要である。私たちは毎日のようにプラスチック製容器の製品を購入し、それを廃棄している。そこで、まずはプラスチックごみを減らすために、分別を徹底し、できる限り資源化することを求めていく。具体的には、これまで以上に「3R」[2] の取組みを呼びかけ、適切な分別・回収・リサイクルを進めていくことが大切である。

また、同時に消費者の意識自体も変えていく必要がある。プラスチックフリーの製品を選ぶ消費行動[3] を喚起するということである。特にワンウェイのプラスチック製容器・製品については、不必要に使用されたり、廃棄されたりすることがないようにするため、無償配布をやめ、有料化することで価値づけを行うことが効果的である。レジ袋につ

[1] 海洋プラスチック等による環境汚染

海洋プラスチックによる海洋汚染は地球規模で広がっていて、生態系を含めた海洋環境への影響が懸念されているんだ。特に海洋中のマイクロプラスチック（5mm以下の微細なプラスチックごみ）が問題とされているよね。

ここでも使える！
テーマ 29
地球温暖化対策

[2] 「3R」

「ごみを発生させない(Reduce)」「使用された容器等を再び使用する (Reuse)」「ごみを分別して原材料として再生利用する (Recycle)」の総称だよ。

[3] プラスチックフリーの製品を選ぶ消費行動

エシカル消費（倫理的消費）などと呼ぶよね。

いては既に有料化が義務付けられているが、このような取組みを拡充し、消費者の意識変革を図っていかなければならない。今後は、マイバッグキャンペーンの継続実施を通じて、市民のマイバッグ持参に対する意識啓発と行動変容を促すことが重要である。同様に、**マイボトル持参の呼びかけ**[4] も、使い捨てプラスチック削減に効果的な施策として推進すべきである。ただ、これらの取組みを持続可能な社会的ムーブメントへと発展させるためには、長期的な視点に立った環境整備が不可欠である。具体的には、マイボトルを利用できるコンビニエンスストアや自動販売機の拡充、持参者が必要量のみを購入できる柔軟な販売システムの導入、マイバッグやマイボトル持参者向けの割引制度の実施などが必要となると考えられる。

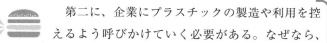

　　　　第二に、企業にプラスチックの製造や利用を控えるよう呼びかけていく必要がある。なぜなら、**プラスチックを製造・利用する企業が存在する限り、この問題の根本的な解決にはつながらない**[5]からである。そこで、企業の**社会的責任（CSR）**[6]への意識を高めていくことが求められる。例えば、行政はプラスチックの発生抑制や代替促進に成功した企業活動を随時紹介し、企業間における相互参照を可能にすることで、他企業への波及効果を狙う。また、併せてバイオプラスチックの活用を広く呼びかけていく。これには微生物によって生分解される生分解性プラスチックとバイオマスを原料に製造されるバイオマスプラスチックとがあるが、両者とも管理された循環システムの中で各々の特性を生かすことで、プラスチックに起因するさまざまな問題の改善に幅広く貢献できるとされて

[4] マイボトルの持参を呼びかけ

行政の内部の改革も必要だ。東京都練馬区では、庁舎内の自販機においてペットボトル製品をなくし、その代わりにウォーターサーバーを設置しているよ。

[5] プラスチックを製造……解決にはつながらない

リサイクルだけだと不十分なんだ。製造・利用をやめないといけないね。というのも、日本におけるプラスチックリサイクル率約86％のうち、約62％がエネルギー源としての利用であるサーマルリサイクル（2020年のデータ）。サーマルリサイクルでは燃やす時に CO_2 が排出されてしまう。単純焼却も合わせると最終的に年間1,600万トンの CO_2 が排出されてしまうんだ。もしリサイクルをするなら、ケミカルリサイクルやマテリアルリサイクルの技術を確立し、増やしていくことが必要となるよ。

ここでも使える！
テーマ27
地球温暖化対策

いる。低コスト化や耐久性確保などの課題はあるにせよ、行政はこのようなバイオプラスチックを使った製品を開発する企業を対象に助成制度を設けるなどして、イノベーションの後押しをしていくことが必要である。

回 **社会的責任 (CSR)**
「Corporate Social Responsibility」の頭文字をとったものだよ。

　このように、廃プラスチックを削減していくためには、消費者一人ひとりの行動や企業における製造・利用に対する意識の変革が不可欠である。そこで、行政は総合的なアプローチにより、実践的な行動変容と環境に対する意識向上とを同時に促進し、プラスチック削減の実効性を高めていく必要がある。

(1516 文字)

ここがＰＯＩＮＴ

行政がなすべき取組みを聞かれているので、対消費者、対事業者（企業）に分けて書くとよい。対消費者のところで書く内容は主に普及啓発になると思うけど、なるべく幅広く具体的に書きたいところ。対事業者（企業）のところでは、ぜひ代替製品であるバイオプラスチックに触れてもらいたい。

オススメ参考資料

☑ **プラスチックはえらんで減らしてリサイクル（環境省）**

プラスチックに係る資源循環の促進等に関する法律についても告知されているよ。「容器包装のプラスチック資源循環等に資する取組事例集」や「プラスチックごみ問題に関する意識調査について」などは参考になるのでぜひ見てみよう。

▶ https://plastic-circulation.env.go.jp/

☑ **プラスチック製容器包装（東京都）**

プラスチックをリサイクルする意義、プラスチック対策に関する国や都の方針、都内の取組状況などが一通りまとまっている。Ｑ＆Ａもついているので、疑問解消につながるかもしれないね。

▶ https://www.kankyo.metro.tokyo.lg.jp/resource/50020
0a20201207113423859.html

☑ **マイバッグ・キャンペーン環境にやさしい買い物をしましょう（栃木県）**

栃木県は、10月を「マイバッグ・キャンペーン」の取組強化月間と位置づけている。実施内容として、消費者、事業者、行政とに分けて説明している。取組強化月間における具体的な行動は小論文でも書ける内容だね。

▶ https://www.pref.tochigi.lg.jp/d05/eco/haikibutsu/jyunkan/my-
bag.html

テーマ 32 | 危機管理

頻出度 ★★★

例題

　近年、各地で地震による被害、台風や線状降水帯による豪雨被害などが相次いで発生している。このような現状を踏まえ、自然災害がもたらす危機に対して、行政はどのような取組みを行うべきか、あなたの考えを述べなさい。

ここからSTART

自然災害一般について問われているけど、「地震による災害、台風や暴風雨による水害・土砂災害」という例が挙げられているので、それぞれについて簡単に触れておくといいね。

合格答案例の構成

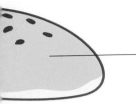

導入部分

自然災害が相次いで発生
→ 自然災害の危機に対峙する地域社会の脆弱

取組み①

ハード対策を行う
- 地震対策 → 建物の耐震化、無電柱化、延焼を防ぐためのスペースの確保や道路幅の確保
- 豪雨対策 → 谷の構築、河川の堤防の強化、下水道貯留施設の整備
- ただし、ソフト対策と組み合わせて実施

取組み②

自助の意識を強化していく
- 避難経路の把握や非常用品の準備を促していく
- 家族との連絡手段の確認を促す
- 情報収集手段の確保の一環として、防災アプリの利用を促進していく

取組み③

共助の取組みを強化する
- 自主防災組織の設立を呼びかけ、活動を支援していく
- 地域と企業との連携を強めていく
- 早急に個別避難計画を作成し、状況把握と安否確認を迅速に行える体制を作っていく

まとめ

地域における防災力を向上させることが不可欠

合格答案例

　　　　近年、日本を取り巻く環境は著しい変化を遂げ、甚大な被害をもたらす自然災害が相次いで発生している。今後30年以内に首都直下型地震が起こる確率は70%とされており、大地震発生に向けた対策は急務となっている。また、台風や**線状降水帯**[1]は局地的に浸水被害をもたらす。しかし、このような自然災害の危機に対峙する地域社会の脆弱性は増すばかりである。地域コミュニティが希薄化していることに加え、超高齢社会に突入したことにより、高齢者が災害弱者となる可能性が高い。また、都市部では、交通機関の麻痺により一瞬にして帰宅困難者が大量に発生することが見込まれる。このような現状を踏まえ、自然災害がもたらす危機に対して、行政はどのような取組みを行うべきか。以下具体的に述べる。

　　　　第一に、ハード対策を行うべきである。地震対策としては、まず木造住宅密集地域における建物の耐震化を最優先に行う必要がある。現在、**耐震補強にかかる費用を助成している自治体が多い**[2]ことから、このような制度の積極活用を促していくことが大切だ。また、無電柱化を推進し、電線類の被災や電柱の倒壊による道路閉鎖を防ぐべきである。さらに、都市部では、地震による直接的な被害よりもそれに付随する深刻な火災による被害が発生する危険があるため、延焼を防ぐためのスペースの確保や道路幅の確保が課題となる。次に、台風や線状降水帯による豪雨対策については、流れ込んだ土砂の受け皿となる谷の構築や河川の堤防の強化、地下街への浸水を防止す

[1] **線状降水帯**

積乱雲が列をなした、組織化した積乱雲群によって、数時間にわたってほぼ同じ場所を通過または停滞することで作り出される、線状に伸びる雨域のこと。毎年のように線状降水帯による顕著な大雨が発生し、数多くの甚大な災害が生じているよ。

[2] **耐震補強にかかる費用を助成している自治体が多い**

東京都内の各区市町村では、耐震診断、耐震改修などに要する費用の一部を助成する制度を設けているところが多いよ。

る下水道貯留施設の整備を不断に行っていかなければならない。もっとも、このようなハード対策には多額の費用がかかることや、想定を超える災害が発生した時には機能しないこともあり得るというデメリットもある。そこで、<u>ハザードマップ</u>③の活用や日ごろからの避難訓練などのソフト対策と組み合わせて実施することが効果的である。

 第二に、自助の意識を強化していくべきである。いざ災害が発生すると、公助だけでは対応しきれないことが想定されるため、日ごろから住民一人ひとりが「自分の身は自分で守る」という自助の意識を持って災害に対する備えをしておくことが大切となる。具体的には、避難経路の把握や非常用品の準備を促していく。非常用品は、水や非常食などをはじめ、医薬品や衛生用品、スマートフォンの予備バッテリー、**防災用簡易トイレ**④など、生活に必要なあらゆる用品を持出袋にまとめておくことが望ましい。また、家族との連絡手段の確認を促すことも重要だ。災害時に家族と連絡が取れなくなる可能性を考え、事前に集合場所などを決めておくことが求められる。さらに、情報収集手段の確保の一環として、防災アプリの利用を促進していくべきである。近時、スマートフォン保有率が高まっていることから、防災アプリは災害情報や避難情報を即時に確認するための手段として有効に機能し得る。行政としては、**SOS 発信や緊急連絡先の登録など**⑤のあまり知られていない機能について、使い方を含めた周知を行っていく必要がある。

第三に、共助の取組みを強化するべきである。共助とは、自助だけでは対応しきれないときに、

③ ハザードマップ
ハザードマップは、市区町村単位で作成され、洪水・土砂災害・火山の噴火など、災害別に作成されているという点が特徴だよ。

④ 防災用簡易トイレ
東京都港区では、区民全員に携帯トイレを配布する政策を行っているよ。

⑤ SOS 発信や緊急連絡先の登録など
SOS 発信とは、緊急時に SOS を求めることができる機能で、迅速な救助依頼が可能となる。一方、緊急連絡先の登録は、災害時にワンタッチで連絡を取れるようになっているよ。

地域全体で助け合い支え合うことを指し、地域の防災力を強化していく上で欠かせない視点である。そこで、まずは自主防災組織の設立を呼びかけ、活動を支援していく必要がある。定期的な防災訓練や防災計画の策定・実施などに取り組んでいる組織に対しては表彰を行い、広く他に紹介することにより、災害に強い安全なまちづくりを推進していく。次に、地域と企業との連携を強めていくべきである。例えば、地域の企業と防災協定を結び、災害時に物資の提供や避難所の運営支援を受けることが考えられる。また、東京都のように、企業との連携により耐震性に優れている企業の建物を**一時滞在施設として開放してもらう取組み**[6]も帰宅困難者を受け入れるための施設を充実させるためには重要である。さらに、高齢者や障がい者など、災害時の避難行動が困難な人については、早急に個別避難計画を作成し、共助の枠組みの中で状況把握と安否確認を迅速に行える体制を作っていくべきである。

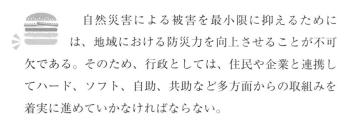　自然災害による被害を最小限に抑えるためには、地域における防災力を向上させることが不可欠である。そのため、行政としては、住民や企業と連携してハード、ソフト、自助、共助など多方面からの取組みを着実に進めていかなければならない。

（1807 文字）

[6] **一時滞在施設として開放してもらう取組み**
東京都では、都内の区市町村と帰宅困難者の受入協定を締結する民間一時滞在施設を対象に、一時滞在施設の整備に係る費用を助成しているよ。備蓄品の購入に係る補助事業や、ハード整備に係る補助事業などがあるよ。

ここがPOINT

今回は盛り込んではいないけど、行政内部の体制整備について触れてみてもよい。災害時に職員が円滑に動けるよう日頃から訓練を行ったり、人員不足に備えて他の自治体と連携協定を結んでおいたりすることが考えられるね。

オススメ参考資料

☑ **土のうステーションをご利用ください（東京都世田谷区）**
世田谷区では、必要に応じて区民がいつでも土のうを持ち出せるように「土のうステーション（簡易土のう置き場）」を区内95カ所（2024年8月現在）に設置している。
▶ https://www.city.setagaya.lg.jp/mokuji/kurashi/005/003/005/d00133548.html

☑ **防災ブック「東京くらし防災」・「東京防災」（東京都）**
東京都は、関東大震災から100年を契機とした自助・共助の更なる促進を図るため、都民の災害への備えを促す防災ブック「東京くらし防災」と「東京防災」のリニューアルを行ったよ。
▶ https://www.bousai.metro.tokyo.lg.jp/1028036/1028197/index.html

☑ **「江戸川区防災アプリ」「江戸川区防災ポータル」をご活用ください。（東京都江戸川区）**
江戸川区は、近時「江戸川区防災アプリ」「江戸川区防災ポータル」の機能を、アップデートしたよ。①防災行政無線放送で放送した内容の視聴、②PUSH通知による防災行政無線内容等の通知、③スマートフォンの強制起動による防災行政無線の内容発信が追加された。
▶ https://www.city.edogawa.tokyo.jp/e007/bosaianzen/bosai/oshirase/bousaiapuri.html

テーマ 33 SDGs(持続可能な開発目標)

頻出度 ★★

例題

　2015年9月の国連サミットにおいて、2030年までの国際開発目標であるSDGs（持続可能な開発目標）が採択された。わが国がSDGsを推進していくことの必要性について説明し、17の目標（下記参照）のうち、あなたが特に重要と考えるものを2つ挙げ、その理由と必要となる取組みについて、あなたの考えを述べなさい。

1. あらゆる場所のあらゆる形態の貧困を終わらせる
2. 飢餓を終わらせ、食料安全保障及び栄養改善を実現し、持続可能な農業を促進する
3. あらゆる年齢のすべての人々の健康的な生活を確保し、福祉を促進する
4. すべての人々への、包摂的かつ公正な質の高い教育を確保し、生涯学習の機会を促進する
5. ジェンダー平等を達成し、すべての女性及び女児の能力強化を行う
6. すべての人々の水と衛生の利用可能性と持続可能な管理を確保する
7. すべての人々の、安価かつ信頼できる持続可能な近代的エネルギーへのアクセスを確保する
8. 包摂的かつ持続可能な経済成長及びすべての人々の完全かつ生産的な雇用と働きがいのある人間らしい雇用（ディーセント・ワーク）を促進する
9. 強靱（レジリエント）なインフラ構築、包摂的かつ持続可能な産業化の促進及びイノベーションの推進を図る
10. 各国内及び各国間の不平等を是正する
11. 包摂的で安全かつ強靱（レジリエント）で持続可能な都市及び人間居住を実現する
12. 持続可能な生産消費形態を確保する
13. 気候変動及びその影響を軽減するための緊急対策を講じる
14. 持続可能な開発のために海洋・海洋資源を保全し、持続可能な形で利用する
15. 陸域生態系の保護、回復、持続可能な利用の推進、持続可能な森林の経営、砂漠化への対処、ならびに土地の劣化の阻止・回復及び生物多様性の損失を阻止する
16. 持続可能な開発のための平和で包摂的な社会を促進し、すべての人々に司法へのアクセスを提供し、あらゆるレベルにおいて効果的で説明責任のある包摂的な制度を構築する
17. 持続可能な開発のための実施手段を強化し、グローバル・パートナーシップを活性化する

ここからSTART

　少し変わった問題なので、構成を工夫する必要がある。今回の参考答案では、「必要性」と「特に重要と考えるもの」を導入部分で書いて、取組みパーツの中で、「その理由と必要となる取組み」についてそれぞれ書いてみたよ。いずれにしても問いに答えていることが伝わる構成になるようにしよう。

合 格 答 案 例 の 構 成

SDGs を推進していく必要性
- 社会構造が変わる中で生じてきた長期的な課題に一つひとつ対処しなければならないという事情

私が特に重要と考える目標
- 目標 5 のジェンダーと目標 13 の気候変動

取組み①

目標 5 のジェンダーを挙げた理由
- 生産年齢人口が減少する中で、労働力人口を確保しつつ新しい価値の創造につなげていくためには、女性の活躍が欠かせない

ジェンダーギャップ指数の改善に取り組んでいく必要
- 「見える化」するよう徹底、女性管理職のロールモデルをつくりあげていく、リスキリングに対して金銭的援助
- 勤務時間を弾力化、多様な正社員を導入

取組み②

目標 13 の気候変動を挙げた理由
- 異常気象による災害から国民の生命・身体・財産を守っていく必要がある、国際約束であるカーボンニュートラルに向けて対策を加速させていかなければならない

再生可能エネルギーを、主力電源として最大限活用していく
- 大型蓄電池の整備、送電網の強靱化
- 水素・CCS の社会実装

まとめ

官民連携・産学連携など、幅広いステークホルダーとの連携を深めていくことが大切

合格答案例

SDGsを推進していく必要性は、社会構造が変わる中で生じてきた長期的な課題に一つひとつ対処しなければならないという事情に基づく。現在、わが国は、全国的な少子高齢化や人口減少、それらに起因する経済規模の縮小など、さまざまな社会的な課題を抱えている。これらの課題を克服するためには従来とは異なる新たな切り口が求められており、その一手段としてSDGsが注目されている。特に地方においては、持続的に成長していける力を確保しつつ、人々が安心して生活ができるようなまちづくりを行うために、長期的に計画された開発、まちづくりが求められている。そこで、各地方においては、地方創生分野におけるSDGsモデル[1]を構築し、積極的に実践を試みていかなければならない。SDGsの掲げる17の目標のうち、私が特に重要と考える目標は、目標5のジェンダーと目標13の気候変動である。以下、その理由と必要となる取組みについて述べる。

　第一に、目標5のジェンダーを挙げたのは、生産年齢人口が減少する中で、労働力人口を確保しつつ新しい価値の創造につなげていくためには、女性の活躍が欠かせないからである。ところが、2024年に発表されたジェンダーギャップ指数[2]を見ると、日本は118位（146カ国中）、内訳としても経済が120位、政治113位と不名誉な状態が続いている。経済や政治をはじめとするさまざまな場面における意思決定に女性の意見を反映させるため、特に指導的地位の女性の割合を増やしていくことが

[1] SDGsモデル

地方創生SDGsの達成に向け、優れたSDGsの取組みを提案する地方自治体を「SDGs未来都市」として選定し、その中で特に優れた先導的な取組みを「自治体SDGsモデル事業」として選定しているよ。

[2] ジェンダーギャップ指数

世界経済フォーラム（WEF）が毎年発表している指標で、各国の男女格差を「経済」「教育」「健康」「政治」の4分野で評価したもの。「0」が完全不平等、「1」が完全平等を示す。数値が小さいほどジェンダーギャップが大きい。

喫緊の課題となっている。

　そこで、わが国としては、誰に対しても、平等な機会が与えられ、自分らしく生きられる社会を実現するために、国の責任として同指数の改善に取り組んでいく必要がある。具体的には、能力及び実績による人事管理を前提としつつ、従来の人事慣行を見直すことで、女性の活躍できる職域を拡大していかなければならない。企業に対しては、女性活躍の現状や目標数値、具体的な行動計画等を「見える化」するよう徹底し、女性管理職のロールモデルをつくりあげていくよう呼びかけていく必要がある。また、与えられた職務を全うする際に必要となるスキル習得を後押しするために、リスキリングに対して金銭的援助③をしていくことも大切だ。一方、現在、女性の正規雇用比率を年齢階層別に折れ線グラフで示したとき、20代後半をピークに、その後は右肩下がりで低下していくL字カーブ現象が指摘されている。そのキャリアシフトの主な原因が、ワークライフバランスにあると言われていることを踏まえ、正社員としての継続就業を可能にするような体制整備を進めていかなければならない。そこで、テレワークやフレックスタイム制などを活用して勤務時間を弾力化することやジョブ型雇用をはじめとする多様な正社員を導入することを促していくべきである。

　　　　第二に、目標13の気候変動を挙げたのは、昨今わが国で毎年のように発生している異常気象による災害から国民の生命・身体・財産を守っていく必要があることに加え、国際約束であるカーボンニュートラルに向けて対策を加速させていかなければならないからであ

ここでも使える！
テーマ02
女性の活躍

③ リスキリングに対して金銭的援助
経済産業省は、リスキリングを通じたキャリアアップ支援事業費補助金を創設したよ。

る。わが国は世界で5番目にCO$_2$を排出している国[4]であるため、目標13を主導する責務があると考える。また、期限付きカーボンニュートラル目標を表明する国・地域が急増する中においては、環境対応の成否が、企業・国家の競争力に直結することになるため、より積極的な取組みにより、国際的なプレゼンスを向上させていかなければならない。

　わが国としては、2050年カーボンニュートラルを実現するために、再生可能エネルギーを、主力電源として最大限活用していくことが求められる。現在、太陽光発電は地域によって出力制御が発生している[5]ため、大型蓄電池の整備や送電網の強靭化により電力を無駄なく有効活用できるよう対策を講じるべきである。また、水素・CCS[6]についても社会実装を進めることが大切だ。さらに、原子力については、国民からの信頼確保に努め、安全性の確保を大前提に、必要な規模を持続的に活用していくことが求められる。

　SDGsの掲げる目標は、行政主導の取組みのみならず、企業や地域、国民一人ひとりの自発的な取組みがなければ達成できない。今後、国内実施をより促進し、一層のムーブメントにしていくために、普及啓発をはじめ、さまざまな面において、官民連携・産学連携など、幅広いステークホルダーとの連携を深めていくことが大切となるだろう。

（1838文字）

[4] 5番目にCO$_2$を排出している国
中国、アメリカ、インド、ロシア、日本の順だよ（2021年）。

ここでも使える！
テーマ29
地球温暖化対策

[5] 地域によって出力制御が発生している
電力会社が発電事業者に対して発電の出力を停止・抑制すること。売電ができなくなるので、電力事業者にとっては大ダメージとなる。九州地方を中心に何度も起きてるんだ。

[6] CCS
「Carbon dioxide Capture and Storage」の略で、二酸化炭素回収・貯留技術のこと。発電所や化学工場などから排出されたCO$_2$を、ほかの気体から分離して集め、地中深くに貯留・圧入する技術だ。

ここがPOINT

SDGs は 17 もの目標があるので、問われ方は一様ではない。今回は目標 5 と目標 13 を挙げたけど、ほかの目標についても各自で調べてみるといい。わが国の取組みと地方自治体の取組みでも変わってくるので、地方公務員を受験する人は地方の取組みにフォーカスして書けるように準備しておくことが大切だ。

オススメ参考資料

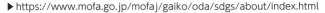

☑ **JAPAN SDGs Action Platform（外務省）**

SDGs 全般の理解に役立つ情報がまとめられている。SDGs が発展途上国のみならず，先進国自身が取り組むユニバーサル（普遍的）なものであることを踏まえ、日本の取組みについてまとめられている。「基礎資料：SDGsの概要及び達成に向けた日本の取組（PDF）」を一読しておこう。

▶ https://www.mofa.go.jp/mofaj/gaiko/oda/sdgs/about/index.html

☑ **総合環境政策（環境省）**

環境省は、SDGs に係る取組みの進展に寄与することなどを目的として、すべての企業が持続的に発展するためのSDGsの活用ガイドを作成している。概要版だけでも見ておくとよい。

▶ https://www.env.go.jp/policy/sdgs/

☑ **地方創生SDGs（内閣府）**

地方創生版のSDGs についてまとめたウェブページ。持続可能なまちづくりや地域活性化に向けて取組みを推進するに当たっては、どのようなことが必要になるのだろうか。普及・促進・PRなどもまとめられているので、地方公務員を受験する人は必ずチェックしておこう。

▶ https://future-city.go.jp/sdgs/

テーマ 34 外国人との共生 | 頻出度 ★★★

例題

　近年、我が国では「特定技能」の拡大や「育成就労」の創設など、外国人の受入れが進み、今後もますます在留外国人が増加することが見込まれる。このような現状を踏まえ、外国人との共生社会を築いていくために課題となることをまとめ、その課題を解決するために行政が行うべき取組みについて、あなたの考えを述べなさい。

＼ ここからＳＴＡＲＴ ／

課題解決型の設問になっているので、まずは課題をしっかりとまとめる作業が大切だね。自分なりの考えでいいので、思い浮かぶものを言語化してみよう。

合 格 答 案 例 の 構 成

導入部分

現在、日本の人口は減少傾向にあるが、在留外国人数は増加傾向にある

- → 人材不足を解消し、労働の新しい担い手となることが期待される反面、新たな課題も生み出す
- 外国人の労働環境の整備
- 生活面における支援の充実

取組み①

外国人の労働環境の整備

- 対受入れ企業
  - → 不当な賃金格差の是正、社会保険加入の徹底、監督指導の強化
  - → 優良企業として認定し、表彰する取組み
- 対外国人労働者
  - → 日本の雇用慣行や法制度を周知する取組み
  - → 疑問、悩みを気軽に相談できる行政窓口を設け、周知する

取組み②

生活面における支援の充実

- 共生社会の基盤整備
  - → 言葉や文化の壁の解消
  - → 社会参加の促進

まとめ

外国人が分け隔てなく安心して生活できる環境づくりを継続的に行っていく

合格答案例

現在、日本の人口は減少傾向にあるが、**在留外国人数は増加傾向**[1]にある。新しい在留資格が拡大・創設されたことで、今後さらなる増加が見込まれている。在留外国人数の増加は、日本が現在直面している人材不足を解消し、労働の新しい担い手として期待される一方で、新たな課題も生み出す。一つ目の課題は、外国人の労働環境の整備である。長時間労働や残業代の不払いなど、外国人に対する不当な待遇を改善していく必要がある。二つ目の課題は、生活面における支援の充実である。外国人が地域で孤立せずに共生できるようにするためには、生活全般にわたってきめ細かな支援をしていく必要がある。では、これらの課題を解決するために行政が行うべき取組みは何か。以下具体的に述べる。

第一に、外国人の労働環境の整備するためには、受入れ企業に対する取組みと外国人労働者に向けた取組みとに分けて考えることが大切である。まず、受入れ企業に対して、外国人労働者の権利保護の意識を、普及啓発を通じて高めていくべきである。具体的には、外国人と日本人の**不当な賃金格差を是正する**[2]とともに、**社会保険加入の徹底**[3]を呼びかけていくことが必要である。そして、違反があった場合における監督指導の強化も併せて行っていく。一方、労働環境の整備に意欲的に取り組む企業に対しては、優良企業として認定し、表彰する取組みが効果的である。行政としては、外国人労働者を受け入れる企業向けに、雇用する際のルールをわかりやすくまとめ、

[1] 在留外国人数は増加傾向

出入国在留管理庁によると、2023年12月末の時点で、日本に在留する外国人は約341万1,000人で、前年比で33万6,000人増え、過去最多となっているよ。

[2] 不当な賃金格差を是正する

2020年4月から「同一労働同一賃金制度」がスタートし、外国人にも適用されているよ。

[3] 社会保険加入の徹底

外国人の社会保険加入率は、一般的に日本人と比較して低い。言語の壁や制度理解の不足などがその理由だよ。

疑問解消に努めていかなければならない。次に、外国人労働者に対しては、日本の雇用慣行や法制度を周知する取組みが必要である。自己の有する権利を知ることで、「自分の身は自分で守る」という自助の意識を持ってもらうことにつながるからである。また、労働に関する疑問や悩みを気軽に相談できる行政窓口を設け、その存在を広く周知していくことも大切だ。

　　　第二に、生活面における支援の充実として、共生社会の基盤整備を行っていくべきである。そのためには、**言葉や文化の壁の解消、社会参加の促進**4 など、包括的な環境の整備が求められる。まず、言葉の壁の解消については、日本語教育の機会を提供していくべきである。例えば、日本語を習得するためのセミナーを開催したり、ICT を活用した学習プログラムを用意したりすることが考えられる。また、災害情報や犯罪情報、暮らしの情報など、行政から発信するあらゆる情報を多言語化し、必要な時に必要な情報を確実に受け取れる体制を整備していかなければならない。一方、文化の壁の解消については、食や音楽、スポーツなどを通じて互いの国のことを学び合う機会を設けるとよいだろう。さらに、住民同士のトラブルを未然に防ぐために、集合住宅のゴミ出しや騒音マナーなど、生活する際のさまざまなルールをガイドブックにまとめ周知していくことが求められる。次に、社会参加の促進については、外国人に対して町内会・自治会への参加を呼びかけていくべきである。外国人が町内会・自治会に参加することで、**活動が国際色豊かになることもちろん、災害時に他の外国人に情報を伝達する役割を担ってもらうことも可能と**

4 言葉や文化の壁の解消、社会参加の促進

ほかにも、偏見や差別の撤廃、子どもの教育支援、ワンストップ型相談窓口の充実などがあるよ。

ここでも使える！
テーマ 21
地域コミュニティ

ここでも使える！
テーマ 22
多様性（ダイバーシティ）

5 活動が国際色豊かになることもちろん、災害時に他の外国人に情報を伝達する役割を担ってもらうことも可能となる

町内会・自治会に加入すると、地域の重要な情報を得やすくなる点や生活で困ったことがあった時にサポートを受けやすくなる点など、多くのメリットを享受できるよ。

なる⑤。そこで、行政は町内会・自治会の意義や機能、参加メリットなどをまとめたパンフレットを作成・配布して、積極的に加入を呼びかけていく必要がある。

　　　今後、共生社会の実現はどこの自治体にとっても大きな課題となってくることが予想される。そこで、行政は、企業や地域と一体となって、外国人が分け隔てなく安心して生活できる環境づくりを継続的に行っていかなければならない。

（1477 文字）

ここがPOINT

外国人との共生社会を築いていくためには、日本語教育の充実や情報発信、相談体制の整備、生活支援、文化交流の促進など、たくさんやるべきことがある。これを自分の軸で上手く分類し、論証に落とし込むことが大切だよ。

オススメ参考資料

☑ **外国人材の受入れ及び共生社会実現に向けた取組（出入国在留管理庁）**

在留外国人数及び外国人労働者数の推移、在留外国人の在留資格・国籍・地域別内訳などがすべてまとまっている。資料中には、「外国人との共生社会の実現に向けたロードマップ等」が入っているので、かなり参考になる。これは外国人労働者の受入れ拡大に向け、共生社会の実現のためにまとめられたロードマップだよ。
▶ https://www.moj.go.jp/isa/content/001335263.pdf

☑ **外国人雇用管理アドバイザー（厚生労働省）**

外国人労働者の雇用管理に関して、事業主からの相談にのる制度。各都道府県に設置されていて、相談の申込みは近くのハローワークで行う。そうするとアドバイザーが派遣されてくるよ。
▶ https://www.mhlw.go.jp/www2/topics/seido/anteikyoku/
koyoukanri/index.htm

☑ **外国人市民向け「自治会加入促進パンフレット」（滋賀県長浜市）**

長浜市は外国人市民の自治会加入促進のためのパンフレットを作成、配布している。日本語だけではなく、英語、中国語、ポルトガル語、スペイン語、ベトナム語のパンフレットが用意されている。
▶ https://www.city.nagahama.lg.jp/0000001229.html

日本のグローバル化

テーマ 35 観光政策

頻出度 ★★★

（例題）

　現在、政府は観光立国の実現に関する基本的な計画として新たな「観光立国推進基本計画」策定し、取組みを加速させている。このような現状を踏まえ、持続可能な観光地域をつくり、さらなるインバウンドの増加につなげていくために行政が行うべき取組みは何か、あなたの考えを述べなさい。

＼ここからSTART／

現状として、観光需要の回復に触れるとよい。これにより、観光政策に力を入れる必要性や意義を示すことができるよ。簡単なデータは頭に入れておくことをおススメする。ただ、なるべく最新のものを挙げてね。

合格答案例の構成

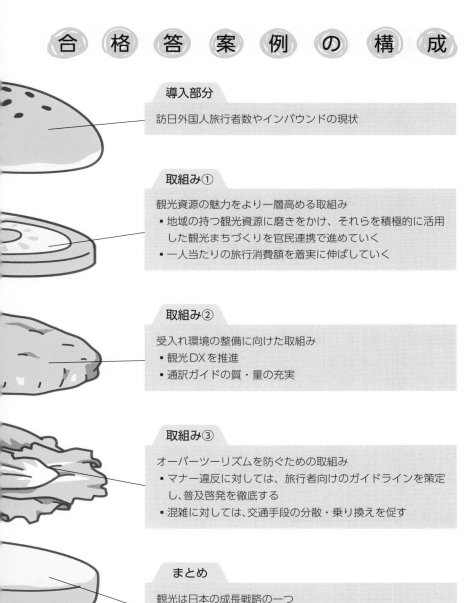

導入部分

訪日外国人旅行者数やインバウンドの現状

取組み①

観光資源の魅力をより一層高める取組み
- 地域の持つ観光資源に磨きをかけ、それらを積極的に活用した観光まちづくりを官民連携で進めていく
- 一人当たりの旅行消費額を着実に伸ばしていく

取組み②

受入れ環境の整備に向けた取組み
- 観光DXを推進
- 通訳ガイドの質・量の充実

取組み③

オーバーツーリズムを防ぐための取組み
- マナー違反に対しては、旅行者向けのガイドラインを策定し、普及啓発を徹底する
- 混雑に対しては、交通手段の分散・乗り換えを促す

まとめ

観光は日本の成長戦略の一つ
- 官民一体となって着実に取組みを進めていく

合格答案例

現在、観光はコロナ禍を経ても成長戦略の柱、地域活性化の切り札として期待されている。2024年4月の訪日外国人旅行者数（推計値）は2019年比で4.0%増の304万2,900人となり、2カ月連続の単月300万人超えとなった。インバウンドも堅調に推移しており、2023年暦年の**訪日外国人旅行消費額は過去最高を更新**[1]した。では、このような現状を踏まえ、持続可能な観光地域をつくり、さらなるインバウンドの増加につなげていくために行政が行うべき取組みは何か。以下具体的に述べる。

第一に、観光資源の魅力をより一層高める取組みである。日本は、自然・文化・気候・食という観光振興に必要な4つの条件を兼ねそなえた世界でも数少ない国の一つであり、観光分野がさらに成長していくポテンシャルを秘めている。そこで、このような地域の持つ観光資源に磨きをかけ、それらを積極的に活用した観光まちづくりを官民連携で進めていく必要がある。例えば、歴史的資源や森林などの自然を活用した**エコツーリズム**[2]、食レポツアー、工場の夜景を生かした観光など、体験型のアクティビティを充実させていくことが考えられる。また、**古民家を宿泊施設に改装する**[3]ことで、付加価値のある新たな滞在型観光資源を作り出すことも可能である。このような取組みを通じて、一人当たりの旅行消費額を着実に伸ばしていくことが求められる。

第二に、受入れ環境の整備に向けた取組みである。**外国人旅行者の不便を解消し**[4]、快適な旅行

[1] 訪日外国人旅行消費額は過去最高を更新

2023年暦年の訪日外国人旅行消費額は5兆2,923億円（2019年比+9.9%）で過去最高を更新した。また、訪日外国人（一般客）一人当たり旅行支出は21万2,193円（2019年比+33.8%）となっているよ。

[2] エコツーリズム

文化や環境、社会などに配慮し、学ぶことを目的とした旅行スタイルのこと。

[3] 古民家を宿泊施設に改装する

千葉県香取市の佐原地区では、NIPPONIA SAWARA（株）が、古民家を宿泊施設に改装するとともに、コンテンツ開発を進めているよ。

環境を提供することが、満足度を高めたり、リピーターを増やしたりしていくことにつながるからである。そこで、さらなる観光 DX を推進していくべきである。具体的には、キャッシュレス化や多言語対応はもちろん、シームレスに宿泊、体験等を予約・決済できる地域サイトの構築や状況に応じた情報のレコメンドを通じて、サービスの高付加価値化を図っていかなければならない。また、観光の質を高めるためには、通訳ガイドの質・量の充実も欠かせない。そこで、需要が見込まれる分野の研修を行うことにより、観光を支える人材の育成にも取り組んでいく必要がある。

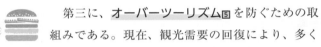 第三に、**オーバーツーリズム⑤** を防ぐための取組みである。現在、観光需要の回復により、多くの観光地で賑わいが戻ってきているが、反面、観光客が集中する地域や時間帯によっては、マナー違反や過度の混雑による地域住民の生活への影響が生じている。観光客の受入れと住民の生活の質の確保を両立しつつ、持続可能な観光地域づくりを実現するためには、地域の実情に応じた個別的な対策を講じていくことが必要となる。例えば、マナー違反に対しては、旅行者向けのガイドラインを策定し、普及啓発を徹底することが必要である。また、混雑に対しては、交通手段の分散・乗り換えを促すことで、地域住民の移動に支障が出ないように配慮していかなければならない。

観光は日本の成長戦略の一つであり、地域の活力を与える重要な成長分野である。そこで、今度も持続可能な形での観光立国の復活に向けて、官民一体となって着実に取組みを進めていくべきである。

（1271 文字）

④ 外国人旅行者の不便を解消し

移動の円滑化という観点からは、マイクロモビリティの活用も見られるよ。電動小型自動車や電動キックボード、電動の自転車などが挙げられる。地域間をつなぐ二次交通の整備は非常に大切。観光スポットをいろいろはしごすることで旅行消費が増えるという側面もあるからね。

⑤ オーバーツーリズム

特定の観光地において、訪問客の著しい増加等が、市民生活や自然環境、景観等に対する負の影響を受忍できない程度にもたらしたり、旅行者にとっても満足度を大幅に低下させたりするような観光の状況をいう。

ここがPOINT

オーバーツーリズムについてはどこかに入れたい。今回は独立の段落を設けて大展開したけど、留意点などで触れるのもありだね。オーバーツーリズムは、旅行者の満足度低下にもつながるみたいだから、解決は必須だ。

オススメ参考資料

☑ **観光立国推進基本計画（国土交通省）**
基本計画では、観光立国の持続可能な形での復活に向け、観光の質的向上を象徴する「持続可能な観光」「消費額拡大」「地方誘客促進」の3つをキーワードに、持続可能な観光地域づくり、インバウンド回復、国内交流拡大の3つの戦略に取り組むこととしているよ。
▶ https://www.mlit.go.jp/kankocho/seisaku_seido/kihonkeikaku.html

☑ **東京都の観光施策（東京都）**
東京は、旅行者誘致に向けた取組みや、観光情報の発信、受入れ環境の向上に向けた取組みなど様々な施策を展開しているよ。まとめサイトとして有益。
▶ https://www.sangyo-rodo.metro.tokyo.lg.jp/tourism/shisaku/

☑ **オーバーツーリズムの未然防止・抑制に向けた取組（観光庁）**
「オーバーツーリズムの未然防止・抑制に向けた対策パッケージ」を一読すれば、オーバーツーリズム対策としてどのようなことを行っていけばいいのかが分かる。
▶ https://www.mlit.go.jp/kankocho/seisaku_seido/kihonkeikaku/jizoku_kankochi/jizokukano_taisei/overtourism.html

テーマ 36 | DXの推進

頻出度 ★★★

例題

　現在、各自治体ではICTの導入及びこれと連動する制度改正や意識改革等のデジタル・トランスフォーメーション（DX）の推進に取り組んでいる。このような現状を踏まえ、誰一人取り残されないデジタル社会の実現に向けて、今後行政が取り組むべきことは何か、あなたの考えを述べなさい。

＼ここからＳＴＡＲＴ／

デジタル・トランスフォーメーション（DX）の定義を書くとともに、課題を書くとよいだろう。新しい取組みには必ず新しい課題が出てくるので、それを踏まえているか否かは小論文の厚みを出すためには大切だよ。

合格答案例の構成

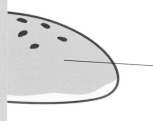

導入部分

デジタル・トランスフォーメーション（DX）の定義
- デジタル人材の不足や利用率の伸び悩み、使い勝手の悪さ、個人情報の流出への懸念などが課題

取組み①

業務プロセスの改革
- 生成AIやノーコードツールなどを活用して業務効率を高めていく
- デジタル人材の計画的な育成・確保に努めていく

取組み②

住民サービスの向上
- 手続の全工程をオンライン化していく
- バックオフィスでのデータ連携に取り組む
- デジタルディバイドの解消

取組み③

官民の連携強化
- 情報のオープンデータ化を推進、情報基盤を活用したサービスの連携を進めていく
- 蓄積したデータを解析・活用することにより、政策立案の高度化を図る

まとめ

官民が力を合わせて安心で便利なデジタル基盤を整備していく

合格答案例

　デジタル・トランスフォーメーション（DX）とは、デジタル技術やデータを活用して、行政サービスを変革し、新たな価値を創出するものである。これまでも、各自治体は業務効率化を図るためのデジタル化や一部手続のオンライン化などに取り組んできたが、デジタル人材の不足や利用率の伸び悩み、使い勝手の悪さ、個人情報の流出への懸念など解決していかなければならない課題も多く指摘されている。このような現状を踏まえ、誰一人取り残されないデジタル社会の実現に向けて、今後行政が取り組むべきことは何か。以下具体的に述べる。

　第一に、業務プロセスの改革である。これまで、DX の土台づくりとして、事務のデジタル化や自動化・省力化、基盤整備を重点的に推進することが目指されてきたが、真の DX を実現するためには、単にデジタル技術を導入するだけでなく、デジタルを基本に従来の仕事のやり方や仕組みを変え、住民の利便性向上や新たなサービスの提供を目指していく必要がある。そこで、人間が行うべき業務以外については、**生成 AI やノーコードツールなどを活用して業務効率を高めていくべきである**[1]。そのためには、職員の一人ひとりのスキルアップが求められる。実践的な IT 研修や IT 資格取得支援などを通じたリスキリングによって、デジタル人材の計画的な育成・確保に努めていくべきだろう。

　第二に、住民サービスの向上である。現在、申請手続のオンライン化が進み、以前よりも手軽に

ここでも使える！

テーマ 14
行政の効率化

[1] 生成 AI やノーコードツールなどを活用して業務効率を高めていくべきである

このような取組みをタスク・トランスフォーメーション（TX）というよ。ノーコードツールとは、プログラミングやシステム開発の知識がなくても、簡単にアプリやシステムを作れるツールのことだよ。

手続を行えるようになってきた。しかし、申請受付はオンラインでできる反面、申請手続の事前相談や、申請後に生じる事業変更等の受付後処理については、いまだ役所に出向くことが必要なケースも見られる。そこで、このような手間を省き、住民の利便性を高めるために手続の<u>全工程をオンライン化していく必要がある</u>[2]。また、<u>一度登録した内容の再入力が不要となる</u>[3]ようバックオフィスでのデータ連携に取り組むことも必要だ。もっとも、デジタルに不慣れな利用者に対する配慮は欠かせない。すなわち、デジタルディバイドの解消にも取り組まなければならない。そこで、誰でも操作しやすいシステムの構築や画面設計など、使い勝手に配慮した取組みを併せて推進していくべきである。

　　　　第三に、官民の連携強化である。DXを実現するにはさまざまな事業活動を担う主体が協働して一体的かつ横断的に取り組んでいくことが不可欠である。そこで、官民の枠組みを超えて、データの連携や有効活用を図るため、それぞれが保有する情報のオープンデータ化を推進し、情報基盤を活用したサービスの連携を進めていくことが求められる。そして、蓄積したデータを解析・活用することにより、政策立案の高度化を図り、暮らしやビジネスなどさまざまな分野で住民のニーズを踏まえたサービスを提供できるようにしていくことが重要だ。

　　　　DXを推進することは、現在生じているさまざまな社会課題を解決する糸口になる。そのため、官民が力を合わせて安心で便利なデジタル基盤を整備し、誰一人取り残されないデジタル社会の実現を目指していくことが求められる。

（1269文字）

[2] 全工程をオンライン化していく必要がある

ワンストップ化の一環だよ。なお、国は、自治体窓口DXを推進し、「書かないワンストップ窓口」を推奨している。デジタル技術を活用することで、職員の負担を軽減しつつ、住民サービスの向上につなげる取組みだよ（オススメ参考資料を参照）。

ここでも使える！
テーマ 20
スマートシティ

[3] 一度登録した内容の再入力が不要となる

いわゆる「ワンオンリー」ってやつだよ。デジタル3原則である「デジタルファースト」、「ワンオンリー」、「ワンストップ」のうちの1つだね。

ここがPOINT

デジタル人材の育成・確保とデジタルディバイドの解消はどこかで触れたいね。従来型のDXで一般的に言われてきたことだけど、一応今でも問題になってはいるので、言及するくらいはしておいた方がいいね。

オススメ参考資料

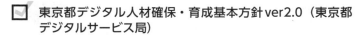

☑ **埼玉県デジタルトランスフォーメーション推進計画（第2期R6 ～ R8）（埼玉県）**

埼玉県では、行政のデジタル化や社会全体のデジタルトランスフォーメーション（DX）を推進する上での基本的な方針や取り組むべき施策を定める「埼玉県デジタルトランスフォーメーション推進計画」を策定している。

▶ https://www.pref.saitama.lg.jp/documents/250834/dxplan_phase2.pdf

☑ **自治体窓口DX「書かないワンストップ窓口」（デジタル庁）**

デジタル庁は、地方自治体の「書かない、待たない、回らない、ワンストップ窓口」を実現することを目指している。「デジタルファースト」、「ワンスオンリー」、「ワンストップ」の考え方に基づいた取組みだよ。

▶ https://www.digital.go.jp/policies/cs-dx

☑ **東京都デジタル人材確保・育成基本方針 ver2.0（東京都デジタルサービス局）**

東京都は、基本方針を策定して、デジタル人材の採用・研修・配置管理・スキル把握の取組などの充実を図ってきた。今回は、複雑多様化するニーズへの対応や都民が実感できるQOSの向上のためには、デジタルの力を一層活用することが必要であるという認識の下、本基本方針を改定したんだ。

▶ https://www.digitalservice.metro.tokyo.lg.jp/documents/d/digitalservice/jinzai002_3

テーマ 37 | テレワーク

頻出度 ★★

（例題）

　ここ数年の間で企業のテレワークの導入比率が高まった。特に大企業での導入率は高く、今後中小企業でもより一層導入が進むことが見込まれる。テレワークの普及・定着によって期待される効果とは何か。またテレワークの課題とその解決策について、あなたの考えを述べなさい。

＼ ここからSTART ／

まず、簡単に定義を示すことから始めるとよいだろう。いきなり「効果」から入るのも不自然だからね。文章の流れを簡単に作ってから本題に入るのがベストだ。ちなみに、今回の問題では書く必要がないが、導入率なども一応書けるとかっこいいかもしれないね。最新のデータが出てきたらチェックしておこう。

合 格 答 案 例 の 構 成

導入部分

テレワークの定義
- 新型コロナウイルス感染症の拡大の影響、働き方の多様化

取組み①

期待される効果
- 対社会
  →労働力人口減少の緩和、地方での雇用創出や地域の活性化
- 対企業
  →労働生産性の向上、コスト削減、有能かつ多様な人材の確保と流出抑止、事業継続性を確保
- 対労働者
  →ワーク・ライフ・バランスの実現

取組み②

課題と解決策
- 労務管理の難しさ
  →クラウド型の勤怠管理システムを使用
- 社内におけるコミュニケーション不足
  →ウェブ会議システムの利用
- 社員の健康面の把握が難しい
  →定期的なヒアリングや面談の実施、診断受診のあっせん
- 不正アクセスの危険や情報漏洩の危険
  →情報セキュリティ教育を施す、ガイドラインを設定

まとめ

テレワークは働き方改革実現の切り札

合格答案例

テレワークとは、ICT を活用した、場所や時間にとらわれない柔軟な働き方のことを指し、働く場所に応じて、**在宅勤務、モバイルワーク、サテライトオフィス勤務の３つ**[1] に分けられる。近時、新型コロナウイルス感染症の拡大の影響により、**多くの企業がテレワークの導入に踏み切った**[2]。働き方の多様化の観点からさらにテレワークの普及に努めていくべきであるが、今後はいったん導入されたテレワークをどう定着させていくかという視点がより一層重要になってくる。では、このようなテレワークの普及・定着によって期待される効果とは何か。課題、解決策とともに述べる。

第一に、テレワークの普及・定着によって期待される効果についてであるが、テレワークは、社会、企業、労働者の三者に効果をもたらすと言われている。まず、社会にとっては、労働力人口減少の緩和に役立つことが期待されている。**時間や場所にとらわれないテレワークの性質**[3] から、女性や高齢者、障がい者などの活躍の場が広がると考えられるため、あらゆる人が労働の世界で活躍することができるようになる。また、地方での雇用創出や地域の活性化にも一役買うことが期待される。もしテレワークが働き方の一つとして自由に選べるようになれば、地方移住を検討する人も多数現れてくるだろう。次に、企業にとっては、**労働生産性の向上を期待できる**[4] とともに、通勤や出張などの移動に伴うさまざまなコストを削減することも期待できる。また、柔軟な働き方の実現により、有

[1] **在宅勤務、モバイルワーク、サテライトオフィス勤務の３つ**

在宅勤務は自宅で働くものだよ。モバイルワークは施設に依存しないで、いつでも、どこでも仕事が可能な状態なものをいう。サテライトオフィス勤務は、勤務先以外のオフィススペースでパソコンを利用して働くものだよ。都市部の企業は郊外にサテライトを、地方の企業は都心部にサテライトを置くのが通常だよね。

📱**ここでも使える！**
テーマ 24
U・I ターン戦略

📱**ここでも使える！**
テーマ 25
地方創生

能かつ多様な人材の確保と流出抑止につながると考えられる。新型コロナウイルス感染症の拡大の際には、危機に対して事業継続性を確保することができる点もテレワークを導入する大きなメリットであることが明らかとなった。最後に労働者にとっては、多様で柔軟な働き方を通じて、ワーク・ライフ・バランスを実現しやすくなるだろう。これが実現できれば、育児、介護などを理由に仕事を辞める風潮に終止符を打つことができるのではないだろうか。

第二に、テレワークの課題とその解決策について述べる。まず、課題として労務管理の難しさが挙げられる。テレワークでは始業・終業時刻の管理と業務時間中の在席確認が難しくなる。そこで、**クラウド型の勤怠管理システム**５を使用するなどして、社員の労働時間を正しく把握するべきである。そうしないと、怠業や長時間労働を生む温床ともなり得る。現に、残業代を請求しないでテレワークを行う「隠れ残業」が顕在化しており、中小企業ほどその傾向が強いとも言われている。労働者の権利を守るためにも早急に対応に乗り出すことが必要だろう。また、社内におけるコミュニケーション不足も課題となる。報告・連絡・相談体制の不足により、社員同士の連携がうまくいかず、かえって業務が非効率化することも考えられるからだ。そこで、定期的にウェブ会議システムを利用し、オンライン上で顔を突き合わせて業務の進行を確認し合うべきである。テレワークをしつつも週の半分は出社するような働き方を認めることでもコミュニケーションの機会を確保することが可能になるだろう。次に、社員の健康面の把握が難しいという課題が挙げられる。テレワークでは、

ここでも使える！
テーマ 01
仕事と生活の調和

2 多くの企業が…踏み切った
2024 年 4 月の調査によると、週 3 日以上テレワークをした人の割合は、39.8%。前回調査よりも 8.9% 増加した。前回調査までは減り続けていたので、上昇に転じた点がポイントだよ（「ワークスタイルに関する動向・意識調査」より）。

3 時間や場所にとらわれないテレワークの性質
最近は、ワーケーションが注目されている。ワークとバケーションを組み合わせた造語だよ。テレワークを上手く使いながら地方や観光地で休暇を楽しみつつ仕事をする新しいスタイルだ。

社員が管理監督者の目の届かないところで仕事をすることになるので、健康を害した際の対応に遅れが出ることが予想される。企業としては、どのように社員の健康を守っていくかを考えていかなければならない。例えば、定期的なヒアリングや面談の実施、診断受診のあっせんなどを行っていくことが必要となろう。さらに、不正アクセスの危険や情報漏洩の危険があるという点も課題である。社内において情報セキュリティ教育を施すことで、社員一人ひとりの意識を向上させていかなければならない。行政としては、最新のウイルス対策ソフトの導入やID・パスワードの定期的な変更、無料の無線LANを使う場合における強度の確認など、セキュリティ対策を万全なものとするよう随時**ガイドライン**⑥を設定し周知していく必要があるだろう。

 このように、テレワークは人口減少時代を迎えている現在の日本において、働き方改革を実現するための切り札である。それゆえ、今後とも行政は、企業が率先してテレワークを行い、社内の意識改革を進めていけるよう、関係省庁と連携して普及・促進に努めていくべきである。

（1774文字）

④ **労働生産性の向上を期待できる**

「期待できる」としたのは、日本では紙の書類作成や捺印作業、ファイル管理などオンラインでは対応できない仕事も多いとされていて、デジタル化と一緒に改革を進める必要があると指摘されているからだ。

⑤ **クラウド型の勤怠管理システム**

勤務時間、残業時間、出勤日数などの管理はもちろん、最近流行りの柔軟な働き方にも対応できるらしいよ。初期費用ゼロ円から始められる。

⑥ **ガイドライン**

厚生労働省は「テレワークの適切な導入及び実施の推進のためのガイドライン」を出しているよ。随時更新していくことが大切だ。

ここがPOINT

今回は問題で問われていることが「期待される効果」「課題」「解決策」の３つなので、単に取組みだけに点数が振られているわけではない。そこで、構成も配点にあわせて変えていく必要がある。「第一に」の段落で「期待される効果」を書き、「第二に」の段落で「課題」と「解決策」を突き合わせる感じで書いてみたよ。柔軟に構成を考える練習もどこかの段階でしていかなければならないので、本問は非常に参考になる。自分なりの構成を考えてみよう。

オススメ参考資料

☑ **テレワークガイドラインの改定　主な概要（厚生労働省）**

テレワークの推進を図るためのガイドラインであることを明らかにする観点から、ガイドラインのタイトルを「テレワークの適切な導入及び実施の推進のためのガイドライン」に改定したよ。テレワークの導入時や労務管理上の留意点などがまとめられている。

▶ https://www.mhlw.go.jp/content/000759470.pdf

☑ **テレワークの推進（総務省）**

総務省では、関係省庁とも連携し、テレワークの普及促進に資するさまざまな取組みを進めている。テレワークの定義や効果、普及・促進に向けた総務省の取組みが紹介されているよ。

▶ https://www.soumu.go.jp/main_sosiki/joho_tsusin/telework/index.htm

☑ **テレワーク情報（一般社団法人日本テレワーク協会）**

テレワークのことならなんでも載っている最強のHP。テレワークの基礎を学びたければ、ホームの「テレワーク情報」のバナーを押して、各項目を見てみるとよい。テレワークの統計やテレワークの導入のポイントなど、あらゆる知識を身につけられるよ。

▶ https://japan-telework.or.jp/

テーマ 38 | 生成 AI

頻出度 ★★★

例題

　近時、AI（人工知能）の技術が飛躍的に発展し、チャットGPT（対話型AI）をはじめとする生成AIは、住民サービスの向上や業務の効率化につながることが期待されるため、行政の場面において積極的に導入が進められている。生成AIの特徴を挙げ、行政のどのような場面で活用すべきか、あなたの考えを述べなさい。

＼ここからSTART／

生成AIと一口に言ってもさまざまな形態がある。得意なこと、苦手なこと、メリット、デメリットなどの特徴をつかむことが大切。技術の進歩はすさまじい速度で進んでいるので、【合格答案例】はあくまでも一時点のものだと捉えて、自分で調べてみるといいだろう。

合格答案例の構成

導入部分

現状・現況
- 多くの自治体では本格導入に向けた検証が行われている
- 特徴
  得意なこと
  メリット・デメリット

取組み①

情報収集・分析や文書作成などの場面で活用すべき
- 情報収集
  → 大量の情報を短時間で検索し、収集することができる
- 分析
  → 統計データや市民からの要望、各種報告書などの情報を
    短時間で分析
- 文書作成
  → 企画提案書や市民向けの告知文、広報文の作成、議会の議
    事録の作成やその要約などで活用

取組み②

住民の初期対応に活用していくべき
- 住民からのよくある質問（FAQ）やメールによる問合せへ
  の回答を、チャットGPTで自動生成

取組み③

政策の企画・立案の補助として活用していくべき
- 論点の洗い出しや発想を広げるためのブレーンストーミン
  グなどには有効に活用できる

まとめ

今後さらなる進歩が続くことが想定

合格答案例

　　近時、生成 AI を行政の場面で活用しようという動きが広まっている。これまで、行政の職務は多岐にわたるため、業務効率化や働き方改革が喫緊の課題とされてきた。そのような中で、生成 AI に光が当たり、DX の起爆剤となり得ることが指摘されてきた。**現在、多くの自治体では本格導入に向けた検証が行われており、ガイドラインなどのルール作りも積極的に行われている**[1]。生成 AI は、会話や翻訳、要約、記事作成、画像生成、動画生成、音楽生成、**コーディング**[2]などを得意とする。上手く活用すれば、業務コストを削減し、作業効率を向上させ、質の高い住民サービスを提供することにつなげられる点にメリットがある。また、プログラミングなどの専門知識が不要であるため、だれでも活用できるという手軽さも魅力とされる。一方、誤った回答が含まれることや、個人情報の流出、著作権の侵害などのおそれがある点はデメリットである。使い方を間違えると、人の考える力や創造力を阻害するという指摘もある。では、このような特徴を踏まえ、生成 AI を行政のどのような場面で活用すべきか。以下具体的に述べる。

　　第一に、情報収集・分析や文書作成などの場面で活用すべきである。まず、情報収集・分析については、生成 AI を活用することで人の手ではカバーしきれない範囲の大量の情報を短時間で検索し、収集することができる。ただ、誤情報が含まれることも踏まえて、得られた情報をそのまま利用するのではなく、改めて信ぴょう

[1] **現在、多くの自治体では……積極的に行われている**
兵庫県神戸市は、生成 AI に関する条例を全国で初めて制定したよ。安全性を確保しつつ業務の効率化を目指すようだ。

[2] **コーディング**
プログラミング言語を用いてソースコード（テキストファイルなどの設計図）を記載することをいう。

232

性の確認作業を行う必要がある点には留意しなければならない。統計データや市民からの要望、各種報告書などの情報を短時間で分析できれば、課題把握も容易になるだろう。次に、文書作成については、近年 AI の**深層学習技術**[3] の進歩により、以前にも増して自然な言葉づかいや表現で文章を作成することが可能となってきている。そこで、定型文の作成だけでなく、内部業務で使用する企画提案書や市民向けの告知文、広報文の作成などにも活用することが考えられる。また、議会の議事録の作成やその要約などで活用することも有効であろう。もっとも、行政文書は機密情報を含むため、随時、運用ルールの策定や見直し、職員研修を行うなど、環境整備を徹底すべきである。外部向けの文書については、必要に応じて生成 AI を使ったことを明示することも検討していく必要がある。

　　　　第二に、住民の初期対応に活用していくべきである。具体的には、住民からのよくある質問（FAQ）やメールによる問合せへの回答を、チャット GPT で自動生成することが考えられる。ただ、チャット GPT は、**感情的なコミュニケーションや専門的な知識、深い洞察などは苦手という特徴を有するため、複雑な質問や問合せには不向き**[4] である。そこで、業務効率化の過程で生まれた時間を人の手が必要な対応に適切に振り向けることで、きめ細かなサービスの提供につなげていくことが求められる。また、検証を繰り返し行い、回答の精度を上げることで、住民の利便性向上につなげていく努力を怠ってはならない。今後は窓口対応などにも向くのか、よりよい使い方を模索したいところである。

[3] 深層学習技術
ディープラーニングのことで、人工知能の要素技術の一つと位置づけられているよ。

ここでも使える！
テーマ 14
行政の効率化

[4] 感情的なコミュニケーションや……複雑な質問や問合せには不向き
兵庫県の「Chat GPT 等生成 AI 活用検討プロジェクトチーム　第 1 回会議」の議事要旨で指摘されているね。なお、同県は、職員が業務で生成 AI を使用する際の留意事項と効果的な使い方をガイドラインにまとめている。

第三に、政策の企画・立案の補助として活用していくべきである。課題発見や仮説設定などは人間が担当すべき領域であるが、論点の洗い出しや発想を広げるためのブレーンストーミングなどには有効に活用できると考える。行政ニーズが多様化する中においては、前例のない新しい政策を立案しなければならない局面も出てくるだろう。そのようなときに、あくまでも職員の主体的な企画・立案を補助するために、着想やアイデア出しなどの創造性の高い業務に生成AIを活用できるようになると理想的である。最終的なチェックを人間が行うことを前提に、観光戦略やスポーツイベントの開催、文化振興、移住促進など、さまざまな場面における企画・立案に応用することで、魅力的で持続的な地域を形作る一助となることが期待できるのではないだろうか。

　生成AIはいまだ新しい領域であるため、今後さらなる進歩が続くことが想定される[5]。積極的な活用による業務効率化の期待は大きいが、反面リスクがある点も忘れてはならない。行政としては、検証を重ねる中でどのような使い方が最良なのかを適切に見極め、技術の進展に応じて随時ガイドラインを見直すなどの対応を継続的に行っていくことが大切である。

（1792文字）

[5] **生成AIはいまだ新しい領域であるため、今後さらなる進歩が続くことが想定される**

総務省の調査では、生成AIの国内利用率は9.1％と消極的であることが示されてたよ。

ここがPOINT

現在、どこの自治体も導入に向けて検証を繰り返しているよ。自治体ごとに対応が異なるので、自分が受験する自治体のガイドラインを見てみることをおススメする。推進と規制は表裏なので、必ず留意点に目を向けることが大切だ。海外の先行事例を参考に論を展開するのも手かもしれないね。

オススメ参考資料

☑ **生成AIの活用推進（兵庫県）**
兵庫県は、生成AIの有効な活用策や具体的な課題を踏まえた対応等を検討している。有効な活用策、留意すべき課題への対応、県行政における活用方針、市町との連携による広域的な対応等を検討するため、ChatGPT等生成AI活用検討プロジェクトチームを設置しているよ。
▶ https://web.pref.hyogo.lg.jp/kk26/johoseisaku/ai_project.html

☑ **県専用環境の導入による生成AIの利用拡大について（千葉県）**
千葉県では、生成AIの活用により、アイデア出しや文章要約等で業務効率化等の効果があることが確認できたことから、本格的に業務に活用していくこととしている。
▶ https://www.pref.chiba.lg.jp/dejisui/press/2023/sc20240126.html

☑ **福井県生成AI活用事例集（福井県）**
県において、生成AI業務活用タスクフォースでの実証や、その後の職員による試行錯誤から生まれた、実際に業務の効率化や質の向上に効果のあった活用事例を中心にまとめたものだよ。
▶ https://www.pref.fukui.lg.jp/doc/dx-suishin/top_d/fil/gai_usecase.pdf

テーマ 39 情報発信

例題

　現在、情報通信技術が飛躍的に発展し、人々の生活が変化したことにより、行政の情報発信のあり方が見直されている。誤情報から住民を守り、より多くの住民に対して適切に情報を届けるために、行政はどのように取り組むべきか、あなたの考えを述べなさい。

ここからSTART

①誤情報から住民を守るための取組みと、②より多くの住民に対して適切に情報を届けるための取組みを分けて書ければいいね。今回の【合格答案例】は、②を書いてから、①に流す形としたよ。

合 格 答 案 例 の 構 成

導入部分

現状・現況
- 情報通信機器の普及に伴い、人々の生活もデジタルが中心
  となってきている
- 誤った情報が流布されることがある
- デジタル以外の方法により情報を収集している者も存在する

取組み①

SNSを活用した情報発信に力をいれて取り組む
- メリットは、情報の拡散力や即時性
- より多くの住民に対して情報を届けることが可能
- 集約的な情報発信に努めていくべき
- 脆弱性があることも忘れてはならない

取組み②

自治体広報紙による情報発信に力を入れて取り組む
- 情報の間隙を埋める役割を果たすのが広報紙
- 新聞折込みや自治会加入世帯への配布
- 見やすさや読みやすさをより充実させる取組み

取組み③

デジタル化に併せて、デジタルリテラシーを醸成するための
取組みも必要
- 住民向けに啓発プログラムを開発、適用
- 具体的な行動を整理し、広く周知

まとめ

人々の生活が多様化→行政の情報を必要な人に適切に届ける
ことはますます難しくなっていくことが想定

合格答案例

　昨今、情報通信機器の普及に伴い、人々の生活もデジタルが中心となってきている。現にスマートフォンは急速に普及し、モバイル端末によるインターネット利用が拡大している。しかし、どのようなツールでも、間違った情報が流布されることがあり得る。一方、高齢者等の中には、デジタル以外の方法により情報を収集している者も少なくない。では、誤情報から住民を守り、より多くの住民に対して適切に情報を届けるために、行政はどのように取り組むべきか。以下具体的に述べる。

　第一に、情報収集手段がデジタルに移行している現状を踏まえ、SNSを活用した情報発信に力を入れて取り組むべきである。SNSを活用するメリットは、情報の拡散力や即時性にある。気軽に投稿でき、リアルタイムでの反応を得られやすい点をも考慮すれば、行政情報の発信にはなじみやすい。各種SNSの利用者数、年齢層、ツールとしての特性をリサーチするだけでなく、投稿の時期や時間、対象、内容、回数などを工夫することで、より多くの住民に対して情報を届けることが可能となる。ただ、組織別・事業別に各SNSが乱立していると、情報の訴求力にばらつきが出たり、統一感を欠いたりすることが懸念される。そこで、より分かりやすく情報を届けるために、適宜、アカウントを再編し、組織や事業の枠を超えた、集約的な情報発信に努めていくべきである。一方、民間のプラットフォームを使うことに脆弱性があることも忘れてはならない。実際、熊本県はXの防災アカウントから

1 **アカウントを再編し……情報発信に努めていくべきである**
Xであれば、フォロワー数の多いアカウントにて集約して投稿を行うことで、拡散力を生かし、より多くの人に情報を届けることができる。

市町村の避難情報などを発信していたが、**X の急な仕様変更[2]** により、大雨の被害情報を発信できなくなるというトラブルに見舞われた。このような不測の事態が起こることを念頭に、SNS 以外にもホームページや防災無線、防災アプリなどを駆使して、リアルタイムの情報発信に努めていく必要がある。

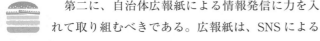　　　第二に、自治体広報紙による情報発信に力を入れて取り組むべきである。広報紙は、SNS による情報発信よりも即時性は劣るものの、正確な情報を届ける手段としてはいまだ有効性を発揮する。情報発信の媒体を限定すると、高齢者や障がい者、外国人など、情報を受け取りにくい層が出てきてしまう。この情報の間隙を埋める役割を果たすのが広報紙であると考えられる。そこで、引き続き新聞折込みや自治会加入世帯への配布などを通じて、積極的な情報発信に努めるべきである。また、高齢者や日本語の苦手な外国人がいることを踏まえ、見やすさや読みやすさをより充実させる取組みも必要である。具体的には、字を大きくすることややさしい日本語を使用することなどが考えられる。また、より広報紙を幅広い世代に届けるために、**デジタル化によりスマートフォンなどで閲覧できるような環境整備にも取り組むべきであろう[3]**。その際、読上げ機能を付帯させたり、多言語化に対応したりすると、誰に対しても伝わりやすい広報紙となるのではないだろうか。

　　　第三に、誤情報から住民を守るために、デジタル化に併せて、デジタルリテラシーを醸成するための取組みも必要となる。**フェイクニュース[4]** などの誤情

---

[2] X の急な仕様変更

自動で投稿できる回数が 1 日 50 件までに制限されたことによって起こったトラブルだよ。

🔗 ここでも使える!
テーマ 34
外国人との共生

[3] デジタル化によりスマートフォンなどで閲覧できるような環境整備にも取り組むべきであろう

デジタル化するのは、今の流行だよ。多言語デジタルブックなんていうのもあるね。

報から住民を守るためには、自助の一端として、住民一人ひとりの情報選別能力の向上が求められるからである。そこで、行政としては、住民向けに啓発プログラムを開発し、適用していくことが重要となる。例えば、他の情報と比べてみることや、情報の発信元を確かめること、一次情報を確かめることなど、情報の受け手として行うべき具体的な行動を整理し、広く周知していくことが求められる。

　　　今後、人々の生活が多様化するにつれ、行政の情報を必要な人に適切に届けることはますます難しくなっていくことが想定される。しかし、そのような中にあっても、行政は、誰もが公平に情報を受け取れる環境を作り出していかなければならない。デジタル、アナログの別を問わず、あらゆる方法を駆使して、有効な情報発信の方法を模索し続けていく必要がある。

（1617 文字）

④ フェイクニュース

国民の SNS 利用の拡大も相まって、2024 年 1 月の能登半島地震においてインターネット上で誤情報の流通・拡散が課題として顕在化したよ。総務省は注意喚起を行い、主要な SNS 等のプラットホーム事業者に対し、利用規約等をふまえた適正な対応を取るよう要請した。（令和 6 年度版『情報通信白書』より）

ここがPOINT

この手の新しい課題を扱う問題については、何も特異なことを書く必要はない。設問で求められていることを淡々と記述していけば答えになるので、難しく考えないことがPOINTだよ。SNS等の活用と広報紙のデジタル化は、今の流行だから書けるといいね。デジタルリテラシーの向上は今後の課題とされているよ。

オススメ参考資料

☑ **東京都公式Xを19アカウントに再編（東京都）**
東京都では、組織別・事業別に約130のXアカウントを運用していたが、都民により分かりやすく情報を届けるために、19アカウント（代表アカウントと18のカテゴリー別アカウント）に再編したよ。
▶ https://www.metro.tokyo.lg.jp/tosei/koho/sns/twitter/saihen_kokuchi.html

☑ **上手にネットと向き合おう！（総務省）**
ネットの時代には、デマやフェイクニュース等の不確かな情報があふれていることを説明するウェブページ。簡単なページだが、リテラシー向上のための確認方法も掲載されているので参考になるよ。
▶ https://www.soumu.go.jp/use_the_internet_wisely/

☑ **多言語に対応した公式SNSの運用開始について（三重県志摩市）**
志摩市は、MICE開催地としてのポテンシャルを国内外に発信するために、日本語版・英語版・フランス語版の公式SNS（X）の運用を開始しているよ。
▶ https://www.city.shima.mie.jp/kakuka/seisakusuishin/sogoseisakuka/kakuryokaigo/sns.html

コラム
取組みを考える際の3つの視点

　もし本番で全く見たことのない問題が出てきたら、どのように取組みを考えていけばいいのでしょうか？ この点については、毎年多くの受験生から質問が寄せられるので、少しアドバイスをしておきます。

　結論から言うと、取組みを考えていく際にヒントとなる視点は3つあります。①「自助」「共助」「公助」という視点、②「事前」と「事後」という視点、③「ハード」と「ソフト」という視点、の3つです。これらのうちどれかを使えばなんらかの取組みが思い浮かぶはずです。ただ、問題によって使いやすいもの使いにくいものがありますので、具体的に①②③のどれを使うのかは、その都度自分で考えないといけません。

　例えば、「健康寿命を延伸するための取組み」という問題が出たときは、①が使いやすいのではないでしょうか。ざっくりと、「自助」＝介護予防（運動、健康診断の受診）、「共助」＝生きがい創出（地域の生涯学習の取組みや老人クラブの活動など）、「公助」＝「自助」「共助」に対する財政的支援、食育推進やセミナー、イベントの開催など、と整理できますよね。

　一方、「いじめ防止」「児童虐待」などは②が使いやすいように思います。いじめや児童虐待が起こらないようにする取組みと、起こってしまったときの取組みに分けて書くことができるからです。

　③は「防災」や「まちづくり」のテーマにうってつけですね。インフラ整備や施設整備などのハード面の取組みと、それとは異なる視点、あるいはそれを活用したソフト面の取組みを書く感じになります。

　なお、①③で書く場合はそれぞれの「連携」が不可欠です。したがって、最後のまとめ段落に「自助」「共助」「公助」の連携や「ハード」と「ソフト」の連携が不可欠である旨を指摘して終わるようにしましょう。そうすれば印象がよくなります。

　このように、もし自分の用意していないテーマが出題されたら、これら3つの視点のうちどれかで考えてみてください。そうすれば、意外とすんなりと取組みが思い浮かぶと思いますよ。

第2章

レベルアップのために押さえたい
「16のコツ」

ここでは、レベルアップに向けた「16 のコツ」を確認するよ。合格答案例を読み、小論文の構成や概要がつかめてきた段階で、この「コツ」に着目することがポイントなんだ。プロローグで言ったように、小論文はノウハウを先に学ぶのではなく、はじめにたくさんの上手な答案に触れること、合格答案のレベルを知ることが大切。それを真似て書くうちに、自分なりの書き方が自然と見えてくるものなんだけど、一方で、小論文の書き方について受験生から質問を受けることも多いんだ。そこで、本章ではその質問内容を中心に、小論文を書く上で押さえたいポイントを「16 のコツ」にまとめて紹介するよ。

📄 コツ01
バランスが大切なのは
食事と同じ

では、次の答案の構成を見て、バランスを考えてみましょう。

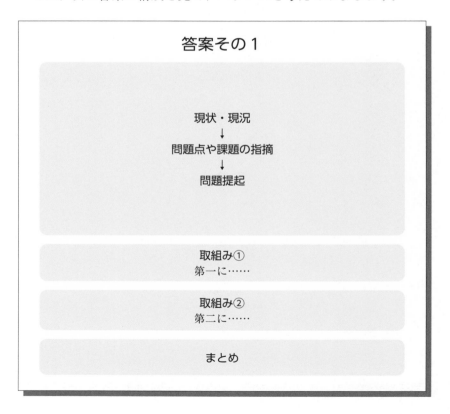

先ほどの答案のマズイ点は、**現状・現況を書きすぎていて頭でっかちになっている点**です。

現状・現況はあくまでも前提なので書きすぎても意味がありません。「バランス」という大切な見た目をないがしろにしている点がマイナスですね。

ではこちらはどうでしょう？

答案その２

現状・現況
↓
問題点や課題の指摘
↓
問題提起

取組み①
第一に……

取組み②
第二に……

まとめ

この答案は、「取組み①」が長すぎる点が問題ですね。最初の取組みしかしっかりと書けていないので、見た目が悪いのです。私はこの手の答案を「失速答案」と呼んでいます。

　しかし、この場合は小手先で見た目を整えることが可能です。皆さんだったら、どうしますか？　私なら、「取組み①」と「取組み②」の順番を入れ替えます。「取組み②」から書けば、「取組み②はもちろん、取組み①の方が重要なんだ！」という論の進め方が可能だからです。そうすれば、少なくとも「失速したな……」という流れを防げるのではないでしょうか。

📄 コツ02
現状・現況は
正確かつシンプルに

　ここからは、具体的なパーツの書き方について、コツを示していきます。まずは小論文の顔となる現状・現況からです。

　そもそも、現状・現況は問題点や課題を指摘し、問題提起につなげるために書くものです。いい問題提起のためには、的確な現状・現況の把握が必要になります。現状・現況は大体マズイものが来る（そうでないと問題点や課題にならない）のですが、ここでおススメするのが「データ」を活用した書き方です。

　例えば、「少子化に対する取組みを述べなさい」という出題であれば、「合計特殊出生率」について書くといいでしょう。

　女性が一生涯のうちに産む子どもの数が合計特殊出生率なのですが、この値が2.07～2.08を下回ると現在の人口水準を維持できません（これを「人口置換水準」といいます）。ところが、現在の日本の合計特殊出生率は1.20程度しかありません。これでは日本の人口がどんどん減ってしまうというわけです。

　このようなデータを上手く使えば、現状・現況の段階でも説得力を持たせることができ、ひいてはよりよい問題提起につなげること

ができます。

　ただ、ここで注意してもらいたいことが２点あります。一つ目は、**データの最新性に気を配ること**です。

　例えば、先ほど挙げた合計特殊出生率は毎年更新されます。ですから、古い値を使っていると「この人は時事には疎いのかな」などと変な予断を与えかねません。

　また、**現状・現況の指摘は文章の最初に来ます**。最初ということは、答案としては顔の部分、つまり「見た目の部分」になります。ですから、そこでつまずくと、あとで盛り返すのが非常に困難になります。データの最新性にはくれぐれも注意してください。

　二つ目は、**データをいくつも並べない**ということです。確かに、データは嘘をつかないので挙げられれば説得力が増します。しかし、何個も並べると読み解きが難しくなり、読んでいる側のストレスになる上に、単なる知識のひけらかしに映ってしまうこともあります。

　あくまでも、**問題点、課題の指摘の前提である**ということに留意し、なるべくシンプルに示すように心がけてください。

　このように書くと、「データを挙げられなくてもいいですか？」という質問がありそうですが、**挙げられなくても構いません**。

　そもそも、現状・現況にあまり触れる必要がない出題形式もあるので、データを示さなくても方向性さえ示すことができればOKです。

　例えば、合計特殊出生率がわからなくても、現在少子化が進み、人口減少社会に突入しているという簡単な方向性は示せるでしょう。これで十分です。

なぜだと思いますか？ 要は問題点や課題につなげられればいいからですね（笑）。

　したがって、データの指摘は must ではありません。

📄 コツ03
主張は「抽象→具体」という流れで

今度は、取組みについてです。取組みでは主に自分の主張を述べていくのですが、ここでは主張の書き方のコツを示したいと思います。

取組みの書き出しは、次のような感じでしたね。

> ### 取組み①
> 第一に……

例えば、「少子化に対する取組みを述べなさい」という出題なら、「第一に」の続きに何を書きますか？

私なら、**まず抽象的な主張を述べます**。少子化ですから、まず「子育て環境の整備を行うべきである」といった感じでしょうか。

「いやいや、もっと具体的に保育所などの受け皿の充実とかワーク・ライフ・バランスの推進とかあるじゃん」と思った人、合っていますよ（笑）。合っていますが、それは具体論になります。

論の進め方は常に「抽象→具体」という「論理的」な流れでなければなりません。

　したがって、主張先出型の論の進め方であれば、必ず「抽象的な主張」が前に来て、その後に「具体的な主張」が来るはずです。

　ですから、極端に簡略化すると、こんな感じになります。

取組み①

第一に、子育て環境の整備を行うべきである。

↓

ここがポイント

具体的には、保育所などの受け皿を充実させたり、ワーク・ライフ・バランスを推進したりして、安心して子育てができる環境を整えていくことが大切である。

　わかりますか？ こんな感じで論を進めていくのが小論文です。全然難しくありませんね。

📄 コツ04
主張を支えるのは
理由や具体例

　主張を書いたとして、それに説得力を持たせたい場合はどのようにすればいいのでしょうか？

　結論から言うと、①「理由」を書く、もしくは②「具体例」を挙げればいいということになります。

　主張したいことがたくさんあれば書かないことも多いのですが、コアとなる主張を書く場面ではぜひ書いてもらいたいと思います。

　特に、公務員試験の場合であれば、②の「具体例」を挙げることの方が多いです。正直、①の「理由」を書くことはそこまで多くありません（書ければ書いてもいいのですが）。私もたまに字数調整で書くことがありますが、それ以外ではあまり書きません。

　というのも、結局、理由を書くとなると「保育所などの受け皿を充実させるべきである。なぜなら〜だからである。また、ワーク・ライフ・バランスを推進していくべきである。なぜなら〜だからである。」という書き方になってしまいます。これは見え方として今一つですね（笑）。つまり、いちいち理由で理論武装すると文章が幼稚に見えてしまうのです。

そんなわけで、私はいつも②の「具体例」を挙げることをおススメしています。

　例えば、先ほどの「少子化に対する取組みを述べなさい」という出題で、「子育て環境の整備を行うべきである → 具体的には、保育所などの受け皿を充実させていく必要がある」という流れを書いた場合、皆さんだったらどのような具体例を入れますか？

　私なら、**実際に行政で行われている「政策」**を書きます。現在、認可保育所を作りたくても場所を確保できないという問題があり、どこの自治体も頭を悩ませています。

　そこで、各自治体では、企業内または事業所の近辺に用意された、育児中の従業員向けの託児施設、いわゆる「事業所内保育所（託児所）」の設置を呼びかけ、それに対する助成などを行っています。

　このような具体的な取組みを入れて、自分の主張に説得力を持たせるようにします。これを答案に反映させると、次のようになります。

取組み①

第一に、子育て環境の整備を行うべきである。[抽象的な主張]

↓

具体的には、保育所などの受け皿を充実させていく必要がある。[具体的な主張] しかし、場所の確保が困難である。

↓

ここがポイント

そこで、事業所内保育所の設置を呼びかけ、それに対する助成を行っていくことが大切である。[具体例＝政策]

どうですか？　簡単ですね。ただし、政策をある程度知らないと書けないので、わからないことを自分で積極的に調べることが必要です。第1章で紹介している「オススメ参考資料」も、ぜひ活用してみてください。

　なお、今の時代、政策を調べる際に有効性を発揮するのが生成AIです。さまざまアプリがありますが、**私がおススメしているのは「Perplexity」です**。最新性が常に確保されている点と、いろいろと応用的な使い方ができる点（関連質問が出てくる）がこのアプリをおススメする理由です。スマホからもインストールできるのでぜひ使ってみてください。例えば、「○○市の独自の子育て支援政策を教えて」などと聞くと、教えてくれます（笑）。「独自の」とか「3つ教えて」とか、いろいろと指定を変えてみるといいでしょう。ただ、情報元には必ず当たるようにしてください。誤情報の場合もあり得ますので、ファクトチェックは必須です。

コツ05
政策は書けばいい
というものではない

　このように「政策を入れて説得力を持たせなさい」と言うと、皆さんは一生懸命政策を調べるでしょう（もちろんいいことですが）。

　その際の注意点は一体何でしょう？ ここでは、私が講師をしていてよく質問される事項をまとめてみます。

Q どの政策を書けばいいのですか？

　この点については、自分が受験する自治体の政策を書くのがベストです。ただ、違う自治体の政策を書いてはいけないということではありません。参考にできる自治体の政策があればそれを書いても構わないのです。

　一点注意してもらいたいのは、国、都道府県、市区町村では政策の大きさが違うということです。ですから、基本的には都道府県を受験するのであれば都道府県の政策を念頭に置いて書くように、また、市役所を受験するのであれば、市区町村の政策を参考にして書

いてもらいたいと思います。

 政策は必ず挙げなければならないのですか？

　小論文は基本的に、「あなたの考え」を問うものです。したがって、政策を問うものではないので、必ずしも入れなくていいのです。

　では、なぜ政策を入れるのでしょうか？　それは「コツ04」でお伝えしたように、あくまでも「あなたの考え」、または主張をより説得力のあるものにするために入れるのです。

　ですから、一番ダメなのは政策を単にベタ〜ッと貼りつけただけの答案です。政策を貼りつけること自体は悪くありませんが、必ず自分の主張を支える根拠という位置づけで政策を貼りつけるようにしましょう。

　構成で言うと、

という流れで書くようにします。

　わかりづらいかもしれませんね。次に具体的に示すので一読してみてください。

取組み①

第一に、子育て環境の整備を行うべきである。[抽象的な主張]
↓
具体的には、保育所などの受け皿を充実させていく必要がある。[具体的な主張] しかし、場所の確保が困難である。
↓
そこで、事業所内保育所の設置を呼びかけ、それに対する助成を行っていくことが大切である。現に自治体によっては事業所内に育児スペースを設けた場合の工事代金や賃料を助成したり、事業所内でベビーシッティングサービスを利用した場合のシッティング料金について助成したりしているところもある。[具体例＝政策]
↓

ここがポイント

このように、子どもを育てながら働く親を支援する体制を整えることで、より育児と仕事の両立を図りやすい社会を構築していくことが求められる。[あなたの評価、意見]

　このように、政策を貼りつけたままにせず、その後に自分の考えを書くのがポイントです。

コツ０６
政策を自分の意見らしく書く技術

さて、「コツ 05」では、

という形にした方がいいよ、ということを言いました。しかし、もっと端的に書きたい場合はどのようにすればいいのでしょうか？ それは、政策を自分の考えとして書けばいいのです。

この手法は多くの人に「なるほど」と言ってもらえるので、きっと皆さんにとっても参考になるはずです（笑）。簡単に言うと、「具体例（政策）」と「それに対するあなたの評価、意見」をまとめてしまう手法です。イメージとしては次のような書き方になります。

取組み①

第一に、子育て環境の整備を行うべきである。[抽象的な主張]

↓

具体的には、保育所などの受け皿を充実させていく必要がある。[具体的な主張] しかし、場所の確保が困難である。

↓

ここがポイント

そこで、事業所内保育所の設置を呼びかけ、それに対する助成を行っていくことが大切である。例えば、事業所内に育児スペースを設けた場合の工事代金や賃料を助成したり、事業所内でベビーシッティングサービスを利用した場合のシッティング料金について助成したりすることを通じて、育児と仕事の両立を図りやすい社会を構築していくことが求められる。

どうでしょうか？ この書き方のメリットは、問いに直接的に答えることができるという点にあります。つまり、「あなたの考えを述べなさい」という小論文の出題形式にマッチするのです。私は第1章の合格答案例の中で2つの書き方を場面に応じて使い分けています。よく注意して見てみてください。

自分の考えを問われているのに、現在行政が行っている
政策を「自分の考え」のように書いてもいいのでしょうか?

これは非常に多い質問なのですが、逆に行政で行っていない斬新
な取組みばかりを書く方が危険です。

基本的に「あなたの考え」は現在行政が行っている政策であるは
ずなのです。

例えば、皆さんは少子化に対する取組みを書くときには必ずと言っ
ていいほど保育所などの受け皿の充実を書きますね。でも、これは
よくよく考えると、現在行政が当たり前のように行っている政策で
すね(笑)。だからと言って書かないわけにはいかないでしょう。

このように、あなたが思いつく考えは大体行政が現在行っている
政策なのです。「行政マンの相場」からずれないようにするためにも、
現在行政が行っている政策を書くことは有益です。

斬新な取組みで固めた答案は、行政マンから見ると「非現実的で
ある」「コストを考えているのか」といった具合に、相場からかなり
かけ離れたものになりがちです。

このような違和感を与えないためにも、現在行政が行っている政
策を踏まえて書くことは、答案技術上「無難」なのです。

もし、斬新な取組みを書きたいのであれば、「なお、今後は○○の
ような積極的な取組みも必要となるであろう」といった具合に、ほ
とんどの受験生が書くと思われる当たり前のことを書いた後に、プ
ラスαで書くようにしましょう。

📄 コツ07

「現状・課題」→「具体的な主張」 という流れを身につける

「抽象的な主張を入れた後の書き方が分からない」という声をいただくことがあります。抽象→具体という流れは意識できていても、これを使いこなせるようになるには時間がかかるかもしれません。そういう発展途上段階の人におススメなのが、「現状・課題」→「具体的な主張」という流れで主張を構成していくことです。全てこれで書けばいいという問題ではありませんが（設問次第）、コツをつかみやすいので、初心者向けにおススメしています。例えば、生成 AIの行政場面の活用について考えてみましょう。

取組み①

第一に、行政の場面において、チャット GPT をはじめとする生成 AI を活用していくべきである。[抽象的な主張]

↓

現在、行政需要が多様化しており、職員一人当たりの対応業務が増えつつある。このような状況の下で質の高い行政サービスを維持していくためには、大幅な業務効率化が必要となる。[現状・課題]

↓

そこで、定型文の作成や内部資料の作成、誤字・脱字チェックなど、比較的軽易な作業から生成 AI を活用し、業務効率化を図っていくべきである。また、HP 上の検索や定型的な行政相談にチャット GPT を活用することも、住民の利便性向上につながるため、順次検討していくべきであろう。[具体的な主張]

　簡単ですよね。現状・課題を入れるだけで、どこか分析的な書き方に見えます。しかし、注意点もあります。それは、導入部分との重複。【現状・課題】の部分は、導入部分で一度触れている可能性があります（導入部分でも現状や課題を書くからです）。そうすると、同じことを導入部分でも触れ、取組みでも触れ…という形で 2 度触れることになってしまいますので、文章構成自体が破綻する原因となります。したがって、ご自身が導入部分でどのようなことに触れたのかを十分意識して【現状・課題】を書くようにしてください。

![document icon] コツ08
「事実レベル」と
「主張レベル」を分ける

　小論文を書く際に、少しだけ頭に入れておいた方がいいことがあります。それは「事実」と「主張」を分けるという発想です。事実とは、既存の法制化、制度化されている仕組みのことをいうと思ってください。例えば、「子育て支援」というテーマでいうと、「育児休業制度」などが事実といえますね。既に育児・介護休業法によって制度化されているためです。一方、主張とは、あなたの考えを示すことをいいます。そして、私がここで言いたいのは**事実を主張として書いてはいけない**ということです。もっと言うと、「**主張は事実で代替できない**」ということです。

　少しわかりづらいと思いますので、1つ例を出して説明してみましょう。皆さんは、次の文章の誤りがわかりますか?

> 子育てのしやすい社会を実現するために、育児休業制度をつくるべきだ。

さすがに感覚的に「変だな」と思いますよね。そうです、「育児休業制度を作るべきだ」という部分が誤っているのです。つまり、育児休業制度はあくまでも既存の制度ですから、事実です。にもかかわらず、それを「作るべきだ」と主張として書いてしまっているわけですね。それゆえ、ほとんどの読み手は「いや、既に法律で制度化されているじゃん……」と突っ込みたくなってしまうのです。したがって、事実と主張はなるべく峻別して書く必要があります。もちろん、**常に分けろというわけではありませんが、意識はしておいた方がよさそうですね**。ちなみに、もし先ほどの文章を手直しするのであれば、次のような感じになります。

> 子育てのしやすい社会を実現するために、育児休業制度をより利用しやすいものにしていかなければならない。

　要するに、育児休業制度は、既に法制化、制度化されているわけですが、男性にあまり利用されていない、あるいは利用されていても短期間にとどまる……という課題（問題点）があるわけです。そこで、実際の運用において利用しやすく（使いやすく）していく必要がある、という方向の主張にもっていくのです。このようにすれば、きれいにおさまるのではないでしょうか？

📄 コツ09

「ヨコ展開」と
「タテ展開」を使い分ける

　小論文を書く練習が進んできて、知識もついてきた時に悩むのが「ヨコ展開」と「タテ展開」のどちらが妥当か、という点です。「ヨコ展開」とは、一つの抽象的な主張の後に数多くの具体的な主張を書いていくパターンです。例えば、「子育て環境の整備」という一つの抽象的な主張を書いた後に、具体的な主張である「保育施設の充実」や「保育人材の確保」、「ワーク・ライフ・バランスの実現」、「地域ぐるみの助け合い」……などをどんどん書き並べていくような書き方です。バリエーションの豊富さや引き出しの多さをアピールできるという点が最大のメリットとなりますが、スペースが限られている以上、その一つひとつの論述が薄くなってしまうというきらいもあります。そこで、論述の深みを出すという観点から、わざと「保育施設の充実」と「保育人材の確保」の2つに絞って書くという方法があります。これが「タテ展開」です。一つひとつの論述を充実させたり、説得的な流れを出したりするためにはこちらの方が向いています。具体的には、「保育人材の確保」で、背景や課題に触れて反対利益にも考慮した書き方をしていくことで論述に厚みを持たせ

るようなイメージです。場合によっては留意点などに触れてもいい
ですね。この「ヨコ展開」と「タテ展開」は一つの小論文で使い分
けることができるようになるのがベストです。取組み①は「タテ展
開」で書いて、取組み②は「ヨコ展開」で書くなどといった形ですね。
「タテ展開」と「ヨコ展開」のどちらかが正解ということはありませ
んので、その都度ご自身で判断していくことが肝要です。個人的に
は論述一つひとつが箇条書きレベルまで薄くなってしまいそうなと
きには「タテ展開」を活用するのがいいと思います。ただ、これは
小論文を練習する中で、自分の感覚を養っていくことで身につけら
れる応用テクニックなので、初心者の段階ではあまり気にしなくて
も大丈夫です。

📄 コツ10
反対利益を
考慮した書き方

....

　自分の主張したい結論は出てくるけれど、文章量を増やすのが難しい……そんなときには、反対利益を考慮した書き方をおススメします。書き方は簡単です。

　　確かに　[反対利益]
　　しかし　[批判]
　　また　[許容性]
　　そこで　[結論]

この型に当てはめればいいだけです。

　では、実際にこれに当てはめて「飲食店における喫煙禁止の是非」というテーマについて考えてみましょう。

　主張したい結論は「飲食店における喫煙は禁止するべきだ」というものとします。その場合、反対利益として考えられるのは、喫煙者の自由や飲食業界の営業的損失です。全面禁煙にすれば彼らは困るわけです。

　次に、非喫煙者を受動喫煙による健康被害から守る必要があると

いう点を強調すれば、立派な批判になります。

　さらに許容性ですが、屋外の喫煙を禁止しているわけではないという点が挙げられますね。

　これらをまとめると、次のようになります。

確かに、飲食店における喫煙を禁止すると、喫煙者の自由が制限され、それと同時に飲食業界の営業的損失も懸念される。

↓

しかし、非喫煙者を受動喫煙による健康被害から守る必要がある。

↓

また、飲食店での喫煙が禁止されるだけであり、屋外の喫煙までもが禁止されるわけではない。

↓

そこで、飲食店における喫煙は禁止するべきである。

このように、

　① 文章量を増やしたいとき
　② 主張する結論自体に争いがあるとき

には、この型を使って文章に説得力を持たせるようにしましょう。

📄 コツ11
留意点を入れる

　コツ10「反対利益を考慮した書き方」と同じ趣旨で、小論文を書き進めるにあたって、留意点に触れられると文章に深みが出ます。これをすることでおのずと<mark>反対利益を考慮することができるから</mark>です。皆さんがいざ公務員になって政策を企画立案する際には、反対派の人の意見に耳を傾ける必要があります。多数派の意見だけでは企画立案は成り立ち得ません。常に、少数派の利害に配慮する姿勢が求められるわけです。これは小論文でも同じことです。

　例えば、「行政のデジタル化を推進するべきである」という主張をする際には、留意点として、「デジタルディバイドの問題」について触れることが必要です。同じく、「免許返納を進めていくべきである」と主張する際にも、「高齢者の移動手段を確保」するために、乗合いタクシーの活用やバスやタクシーチケットの割引などを実施することなどに触れる必要があるでしょう。このように、反対利益を考慮する書き方をマスターすることで、<mark>文章を立体化するとよいと思います</mark>。実際、どんな流れになるかというと、以下のようになります。デジタル化を例にとって簡単に示してみますね。

今後より一層のデジタル化を進めていくべきである。具体的には、申請手続のオンライン化や電子決済のシステム化をあらゆる行政サービスの場面に広げていく必要がある。

↓

もっとも、デジタルに強くない高齢者、文字を読めない外国人に対する配慮も欠かせない。

↓

そこで、デジタルディバイドの問題を解決するためにも、利用しやすい端末を使用することや多言語化を進めていくことが求められる。

どうでしょうか？このように「もっとも」以下で留意点を示し、それに対する解決策を示すことで、より説得力のある記述に仕上げることができます。

📄 コツ12
接続の用語を先決めする

　文章を書く際に、構成に目を配ることは大切です。しかし、文章を流れよく書き進める際には、**接続の用語を先に決めておくことが有益**です。絶対にこうしろ、という話ではありませんが、ある程度接続の用語を先に決めておくことで論理の流れがスムーズになることがあるのです。参考までに私が使っているものを示します。

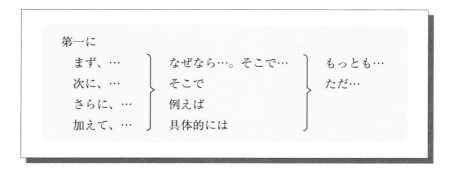

　まず、一番大きな主張で「第一に」「第二に」と書いて方向性を示します。次に、それを細分化して、「まず」「次に」「さらに」「加えて」などという形で書き分けます。3つ以上書きたいときはこのように示せばいいと思いますが、単に2つに分けるだけのときは、「まず」「また」でOKだと思います。そして、それぞれの主張を具体化す

るために、「なぜなら…。そこで」や「そこで」「例えば」「具体的には」を入れて文章を膨らませます。そして、最後に留意点を入れたいときに「もっとも」や「ただ」を入れる感じです。もちろん、すべてをこのように書く必要はありませんが（私もすべてを使うことは稀）、使う可能性のある接続の用語をあらかじめ頭に入れておくことで、現場で悩まずに済みます。時間短縮にも役立ちますので、もしどこに何の文章を入れるべきかを迷ってしまう人がいれば、ぜひ試してみてください。

■ コツ１３
メリデメを考えよう

　主張に説得力を持たせる手法として、メリット・デメリット（メリデメ）を考える、というテクニックがあります。コツ10で反対利益を考慮した書き方を説明しましたが、この応用、あるいは代替と考えていただいて構いません。例えば、あなたが「教育の場面でICT化を進めるべき」という主張をしていく場面を考えてみてください。このICT化によってもたらされるメリデメはたくさんありますが、おおむね以下のような感じになると思われます。

①メリット
・授業のバリエーションを増やせる
・教育の機会均等を実現できる
・アクティブラーニングを実現し、児童・生徒の創造性を養うことができる
・校務改善による教師の負担軽減に資する

②デメリット
・端末の維持コストがかかる
・ネットを通じたいじめやトラブルが増えるおそれ
・ICTが苦手な教師には負担になるおそれ

ぱっと頭に思い浮かぶものだけ挙げましたが、このくらい出てくれば十分です。あとは論述の流れを考えて型にはめ込んでいくだけでOK です。型はさまざまあると思われますが、例えば、①メリットを挙げる→②「もっとも」としてデメリットを挙げる→②で挙げたデメリットの解決策を提示する、という順番で書くとよいかもしれませんね。なお、ここではメリデメを全て使う必要はありません。自分の論述で使えそうなものだけを拾い上げておけばいいと思います。

　例えば、次のような感じになります。

教育の場面で ICT 化を進めるべき　[主張]
　　　　　　　　　　↓
なぜなら、ICT の活用により、
　　・授業のバリエーションを増やせる
　　・教育の機会均等を実現できる
　　・アクティブラーニングを実現し、児童・生徒の創造性を
　　　養うことができる
からである。[メリット]

　　　　　　　　　　↓

もっとも、
　　・ネットを通じたいじめやトラブルが増えるおそれ
　　・ICT が苦手な教師には負担になるおそれ
がある。[デメリット]

　　　　　　　　　　↓

そこで、
　　・情報モラル教育を併せて行う
　　・教師に対するきめ細かなサポートを行う（研修やノウハ
　　　ウの共有など）
必要がある。[解決策]

このように、メリデメを考えることで、コツ10と同じように、文章量を増やし、主張に説得力を持たせることができるようになります。ぜひ、自分の得意な論述の形を考える参考にしてみてください。場合によっては集団討論や政策討論にも応用できますよ。

📄 コツ１４
関連性を意識する

　関連性とは、問われていることに構成を合わせることを意味します。関連性を意識できていない答案は実際にかなり多く、**受験生がついつい無意識のうちにやってしまうミスの筆頭格**です。ですから、これから私が述べることは、答案を書くにあたって強烈に意識しなければなりません。

　例えば、問題文が「○○についての課題を挙げ、**その課題に対する行政の取組みを述べなさい**」という形になっている場合、構成は以下のようになります。

関連性がある場合の構成

１．○○についての課題は２つある。課題１、課題２である。
２．取組み
　（１）課題１に対する取組み
　（２）課題２に対する取組み

　このような問題文になっている場合は、取組みを、問われている課題ごとに一対一対応させて書かなければなりません。なぜなら、

問題文では、**ご自身で挙げた課題に対する取組みを聞いているから**です。この類のものを私は「**関連性がある場合**」と呼びます。

　しかし、問題文が「○○についての課題を挙げ、**○○を解決するための**行政の取組みを述べなさい」という形になっている場合は、以下のような構成にしなければなりません。

関連性がない場合の構成

　１．○○についての課題は２つある。課題１、課題２である。

　２．取組み
　　（１）○○を解決する取組み１
　　（２）○○を解決する取組み２

　わかりますか？　今回の問題文で問われていることは、あくまでも「○○を解決するための行政の取組み」です。**あなたが挙げた課題に対する取組みを聞いているのではない**のです。したがって、課題１に対する取組みや課題２に対する取組みを書いても点数はもらえませんし、むしろ問われていないことを書いてしまっているので、余事記載・論点ずれとなってしまいます。このような類のものを私は「**関連性がない場合**」と呼びます。

　この関連性を意識しないと、いかに内容的には正しいことを述べていても、点数はもらえませんので、注意しましょう。

📄 コツ15
まとめは必要か？

　最後に「まとめ」を書いた方がいいのかどうか、これは多くの受験生が気にしているようです。基本的にまとめの意義は、見た目をよくする点にあると私は考えます。

　また、字数調整という役割もあるかもしれません。書き方は大きく次の2つに分けられます。

① 本論のポイントを繰り返す
② 意気込みや今後の方向性を示す

　ただ、私は「必ず書くべきですか？」と問われたら must ではないと答えます。まとめがなくてもキレイな終わり方はあり得ます。正直、終わり方がキレイであればまとめがなくても減点にはなりません。

　本書ではなるべくセオリー通りにまとめを入れるようにしていますが、入れる場合にはコンパクトに書くことを心がけましょう。

　また、本番の試験でまとめが思い浮かばずに時間オーバー……という事態に陥らないよう、まとめの書き方をパターン化しておくことをおススメします。

　本書の合格答案例を見て、考えておいてくださいね。

📄 コツ16
漢字に迷ったら

....

　小論文で書くときに使う用語を迷ってしまう……こんな経験はありませんか？　例えば、簡単なところで言うと、「取組み」「取り組み」「取組」。さぁ、どれが正解でしょう？　動詞であれば「取り組む」となりますが、名詞の場合には悩んでしまいますね。はっきり言って、どれでもよいのですが、この類のもので悩んだら、**皆さんが受験する官庁や自治体の HP の表記に合わせるのが無難**です。例えば、「取組み」は一般的に使われているものですが、国や東京都などは「取組」という語をあえて使っています。「取り組み」と柔らかに表現するのは基礎自治体（特別区など）が多いように感じます。また、「○○する事が大切である」「○○することが大切である」や「〜の為」「〜のため」なども悩む人が多いと思います。ただ、こちらはひらがな表記が行政の世界では普通です。ですから、**こちらはひらがなで書く癖をつけてください**。まぁ……漢字表記にするのはマスコミのテロップですよね。文字数をなるべく少なくするためにそうしているのでしょう。さらに、「行う」「行なう」……、これはどちらでしょうか？　**通常は「行う」**です。ほかにもさまざまありますが、このように悩んだときは HP で確認する癖をつけましょう。

コラム

ドキッとする問題に対応するためのコツは時事の学習にあり

　小論文では、「超」時事みたいなテーマがそのままドカン！　と出題されることがあります。令和6年度の国家一般職がその典型です。試験では「物流2024年問題化」について問われたのですが、これは試験直前にワ〜ッと盛り上がっていた話題であったため、受験生はみんな「まさか出るとは思っていなかった！」と口をそろえて言っていました。しかし、少なくとも私が教えていた受講生の中からは、「書けなかった……」という声は聞こえてきませんでした。「資料を参照しながら、何とか書きました」という声がほとんど。小論文対策として、「物流2024年問題化」の答案を用意していた人は皆無でしょうが、時事で勉強していた人、ニュースでチェックしていた人がほとんどだったため、最悪の状態は回避できたということなのでしょう。このことから、小論文は時事の勉強とセットで進めていくのが理想的であり、もっと言うと現実的なのだ、ということを強調しておきます。本書を読めば、構成力は身につくはずです。ですから、あとの隙間を埋めるのは時事の勉強。この発想をぜひ覚えておいてください。日々刻々と私たちを取り巻く環境は変化します。その変化に敏感になることは、公務員を目指す者にとっては必須ですよね。なぜなら、公務員は社会のニーズに対応したり、ゆがみを取り除く施策を打ち出したりするのが仕事なのですから。特に、世間で流行っているワードには敏感になるべきです。受験生ならばだれでも知っていると思われるワードはご自身で調べるなどして、知識の補填に努めていきましょう。そうすればもう怖いものなしですね。

第 3 章

「資料読み取り型」
「特別区 I 類」も
ハンバーガー構成で OK

小論文の出題パターンとして、問題文とともに（あるいは文中に）数字やグラフ、表などの資料が与えられるものがあるよ。資料読み取り型であっても、基本的な考え方は、これまでと変わらない。東京都Ⅰ類B、国家一般職の例を紹介するので、順に見ていこう。また、資料読み取り型ではないけれどもニーズの多い特別区Ⅰ類の例も解説しておくね。

⬡ パターン01

東京都Ⅰ類B

....

　東京都Ⅰ類Bの出題は簡単な資料が2つ与えられます。そこから読み取れる課題を200字程度でまとめ、その課題に対して都が行うべき取組※を書く、というパターンで固定されています。

　　　　　　　　　　　　　※東京都Ⅰ類Bの問題文では「取組」という字を使っています。

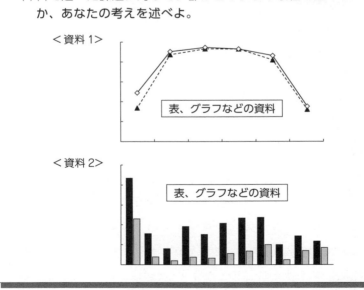

(1) 別添の資料から、都が〜を実現するために、あなたが重要であると考える課題（問題点）を200字程度で簡潔に述べよ。

(2) (1)で述べた課題に対して、都はどのような取組を進めるべきか、あなたの考えを述べよ。

<資料1>

表、グラフなどの資料

<資料2>

表、グラフなどの資料

　東京都Ⅰ類Bの出題は、平成24年度まで特別区と同じような課題式だったのですが、平成25年度から現行の形式に変わりました。正直、昔よりも書きやすくなった感が否めません（笑）。なぜなら、過去問を見れば明らかですが、出題テーマが偏っているからです。そして、やるべきことは今までどおり、取組みを組み合わせて答案化するだけです。

　一点アドバイスするとすれば、東京都Ⅰ類Bは、出題元が固定している点を覚えておきましょう。昔から「東京都長期ビジョン」（2014年策定）と「2020年に向けた実行プラン」（2016年策定）から出題されてきた経緯があります。

　しかし、2021年3月に「『未来の東京』戦略」が新しく発表されたので、今後はこちらを参照するようにしましょう。令和3年度・4年度・5年度・6年度の試験でも、この中のテーマが出題されています。

　ちなみに、この「『未来の東京』戦略」は、2040年代に目指す東京の姿「ビジョン」と、その実現のために2030年に向けた「戦略」と「推進プロジェクト」を示したものです（デジタルブックと有償刊行物の2つがあります。また、「version up 2024」も、2024年1月に公表されています）。今後の都政の具体的な政策展開がよくわかる資料となっていますので、東京都Ⅰ類Bを受験する人はしっかりと読みこんでおいた方がいいでしょう。長い目で見れば、小論文だけでなく面接でも使える資料となりますね。

「未来の東京」戦略（東京都）
2040年代の20の「ビジョン」と2030年に向けた20＋1の「戦略」と122の「推進プロジェクト」が示されている。また、「未来の東京」戦略version up 2024（2024年1月）も公表されているので、併せて確認しておくとよい。
▶ https://www.seisakukikaku.metro.tokyo.lg.jp/basic-plan/choki-plan/

　使い方は「『未来の東京』戦略」に書かれている政策を自分なりにまとめ、オリジナルの「取組み」を作っておくといいでしょう。難しい言葉や専門用語（テクニカルワード）を、小論文で使える程度の平易な言葉に言い換えながらまとめていくのがポイントです。小論文は政策論文ではない以上、あまり難しい用語を並べても意味がありませんからね……。小難しい政策の要点をつかんで、自分の言葉で「わかりやすく」伝えることが大切です。

　次に紹介する合格答案例では、取組みの組合せ方を紹介するにとどめます。このような問題でも取組みの組合せに過ぎないというイメージを持ってもらいたいからです。

例題 1

(1) 別添の資料から、都が高度な防災都市を実現するために、あなたが重要であると考える課題を 200 字程度で簡潔に述べよ。

(2) (1)で述べた課題に対して、都はどのような取組を進めるべきか、あなたの考えを述べよ。

なお、解答に当たっては、解答用紙に(1)、(2)を明記すること。

(平成 25 年度)

＜資料 1 ＞

首都直下型地震等による東京の被害想定

			東京湾北部地震（M7.3）		
人的被害	死者		約	9,700	人
		揺れ	約	5,600	人
		火災	約	4,100	人
	負傷者		約	147,600	人
		揺れ	約	129,900	人
		火災	約	17,700	人
物的被害	建物被害		約	304,300	棟
		揺れ	約	116,200	棟
		火災	約	188,100	棟
避難者の発生（ピーク：1日後）			約	339万	人

（設定の条件：冬の夕方 18 時・風速 8m ／秒）

出典：平成 24 年 4 月　首都直下地震等による東京の被害想定報告書
（東京都防災会議）より抜粋

288

＜資料２＞

災害時、人はどう動く？

（中略）

距離・家族の安否が左右

外出先で地震が起きて、電車やバスが止まったら、徒歩で帰ろうとするか、その場にとどまるか。どうやって推定したのか。

災害時の人の行動を予測しようという研究が進んでいる。マグニチュード7級の首都直下地震が起きると、東京都で517万人が帰宅困難者になるという。

（中略）

さらにアンケートなどにより、外出中どんな状況なら帰宅するかを尋ねる。そこから導かれ、国や自治体の被害想定でよく使われるのが「距離と帰宅意志の法則」だ。

外出先から自宅までの距離が10キロメートル未満なら、大半の人が頑張って徒歩で帰ろうとする。だが20キロメートルを超えると全員が帰宅を断念する。その中間は「距離が1キロメートル延びる

ごとに断念率が1割増える」とみなす。都はこれに東日本大震災での実態も加味し、距離別に帰宅困難者を予測した。

ただ東京工業大学の大佛（おさらぎ）俊泰教授は「これでは大ざっぱなので帰宅を諦める」「女性は外に出るのが怖いのでその場にとどまる」傾向も分かってきた。

行動予測は企業や学校

る」と話す。震災で首都圏の駅に人が殺到したのは、電話が不通で家族の安否が不明なことも一因になった。

大佛教授の独自の調査では「40～60代の男性は帰宅の意志は強いが、いざとなると体力が不安なので帰宅を諦める」「女性は外に出るのが怖いのでその場にとどまる」傾向も分かってきた。

2次災害の危険を洗い出す手立てにもなる。朝の通勤ラッシュ時に地震が起き、乗った電車が止まればどうするか。徒歩で職場などに向かうと、都心から逃げてくる人の流れに衝突し、将棋倒しなどが起きかねない。

「コンピューターを駆使してこうした予測もできるようになってきた。国などが時間帯、平日・休日ごとの想定を示し、対策づくりを急ぐべきだ」と大佛教授は訴える。

が地震対策を考えるのに有効だ。崩れた建物や火災のなかを逃げるのは危険なため、職場などで待機するのが鉄則。何日間待機させ、食料などをどの程度備蓄しておくか。社員の性別や年齢構成から行動を予測すれば計画を立てやすくなる。

出典：平成24年9月30日　日本経済新聞朝刊「災害時、人はどう動く？」より抜粋
日本経済新聞社の許諾を得ています。無断複写・転載を禁じます。

合格答案例

(1)

　まず、資料１から首都直下型地震などが発生した場合に揺れや火災による人的被害及び物的被害が多く発生することがわかる。そこで、地震をはじめとする災害発生時に人的・物的被害を最小限に抑えることを第一の課題として挙げたい。次に、資料２では災害時の人の行動予測について書かれているが、東日本大震災の経験から、多くの帰宅困難者が出ることは必至である。そこで、帰宅困難者対策の徹底を第二の課題として挙げたい。

(197 文字)

(2)

　　　　第一に[1]、人的・物的被害を最小限に抑えるという課題に対しては、都は地域の構造面を強化する取組を進めるべきである。まず、地震対策については、資料１からもわかるとおり揺れや火災による物的被害が多数想定されるため、木造住宅密集地域の耐震化を最優先に行っていく必要がある。また、無電柱化を推進し、電線類の被災や電柱の倒壊による道路閉塞を防ぐべきである。さらに、東京都のような都市部では、地震の直接的な被害はもちろん、それに付随する深刻な火災による被害が発生する危険があるため、延焼を防止するための延焼遮断帯を形成する都市計画道路の整備も併せて行う必要がある。次に、台風、暴風雨による水害・土砂災害対策については、流れ込んだ土砂の受け皿となる谷の構築や、河川の堤防の強化、地下街への浸水を防止する下水道貯留施設の整備を

(1) からの流れがある場合、このように、上のバンズ（導入部分）を省略した書き方もアリだよ。

[1] 第一に……

この段落は、「テーマ32 危機管理」の取組み①と②を組み合わせて、東京都用にアレンジしているよ。

行うべきである。このような地域の構造面の強化に加え、住民一人ひとりに向けた取組も進める必要がある。例えば、共助の観点からは防災訓練を災害別に実施していくことが重要である。なぜなら、地震や水害など、災害別に訓練を行うことにより、災害時における対処方法がより明確になるからである。また、防災マニュアルを各家庭に配布する取組みを継続的に行っていくことも自助の意識を向上させるためには必要となる。近時、東京都は、自助・共助の更なる促進を図るため、『東京くらし防災』と『東京防災』の２つの防災ブック[2]をリニューアルしたが、このように常に情報の最新性を保ち続けることが、都民の知識レベルを高め、適切な行動へと促すことにつながると考える。

第二に[3]、帰宅困難者対策の徹底という課題に対しては、都は避難場所・避難所の周知徹底はもちろんのこと、民間企業の建物を一時滞在施設として活用する取組を進めるべきである。東日本大震災が起こった際、帰宅困難者が大量に発生したが、その中で、大学や小中学校などの公的施設が避難所として大きく機能した。ただ、公的施設には数に限りがあるので、収容できる人数にも限界がある。そこで、民間企業との連携により耐震性の優れている企業の建物の一部を一時滞在施設として開放する必要が出てくる。そして、このような一時滞在施設では、日頃から食料や生活用品などを大量に備蓄しておくことが求められるが、現在、東京都では、企業が帰宅困難者のための備蓄品を購入する際、費用の６分の５を補助する事業を行っている。このような費用助成の取組は、一時滞在施設の機能を強化する上で重要になってくる。また、救助・救

[2]『東京くらし防災』と『東京防災』の２つの防災ブック
リニューアルにより、近年の災害の最新情報のほか、社会の多様性や居住形態の変化、国際環境の動向などが反映されているよ。

[3] 第二に……
この段落は、「テーマ32 危機管理」の取組み③を東京都用にアレンジしているよ。

急活動が落ち着いた後に徒歩で帰宅する人を支援する取組も必要となる。例えば、東京都がコンビニエンスストア、ガソリンスタンド等と協定を締結し、徒歩帰宅者に対して、水やトイレの提供、道路に関する情報などを提供することが考えられる。

　　　今後も災害による危機は必ず私たちに襲いかかってくる。高度な防災都市を実現するため、都は地域住民の理解を得ながら、さまざまな主体と協働して対策に万全を尽くすべきである。

（1241 文字）

＼ここがＰＯＩＮＴ／

東京都の特徴をとらえた書き方を心がけよう！

設問(1)について

　「あなたが重要であると考える課題」を200字程度で簡潔にまとめることが求められています。あなたならいくつ課題を挙げますか？

　私なら2つ挙げます。理由は関連性のない資料が2つあるからです。資料が1つしか提示されていないのであれば課題も1つでいいかもしれません。しかし、資料が2つ与えられている以上、複数の視点から課題を発見できるかを一応検討した方がいいでしょう。3つでもいいのですが、全体のバランスが崩れないように注意してください（時間オーバーになる可能性もあり、3つはあまりおススメしません）。

　では、具体的に見ていきましょう。まず、資料1は「首都直下型地震等による東京の被害想定」に関するものなので、揺れや火災による人的被害、物的被害が多く発生することが想定されています。つまり、課題は、「人的・物的被害を最小限に抑えること」だと言えそうです。

　次に、資料2は「災害時、人はどう動く？」という見出しの新聞記事です。中身を読めばわかりますが、要は帰宅困難者の対策が課題なのです。「こんなもんでいいの？」と思った人も多いでしょう。しかし、設問(1)はあくまでも「課題」を問われているだけなので、具体的な取組みは一切書く必要がありません。それは設問(2)でいくらでも書けます。問いが求めていることを意識するように心がけてください。

　ちなみに、自分の知っている取組みに寄せて無理に課題を引っ張

るのは、絶対にやめましょう。課題は、その資料から客観的に読み取れるものを素直に引っ張ってください。「ここなら書ける！」と言わんばかりに、資料の中で全く際立たない数値や項目に着目してしまい、その結果、論点が大きくずれてしまった……という失敗を、実際に何度も見てきました。自分の書きたいことに合わせて課題を引っ張ると痛い目にあいますので、気を付けましょう。

設問⑵について

次に設問⑵ですが、設問⑴に挙げた課題に対して、「都は」どのような取組みを進めるべきか、を書きます。「都は」となっている以上、政策的なことを踏まえながら書くのがベターでしょう。もちろん、都の政策を知らなくても書けますが、知っているに越したことはありません（書かなくても合格答案にはなります）。そして、「あなたの考えを述べよ」と求められている以上、単に政策を貼りつけて終わることのないように注意しましょう。

今回は取組みの組合せで答案を作ってみました。具体的には「テーマ32 危機管理」の「取組み①②③」を適宜組み合わせて作ってあります。ただ、都としての取組みを書かなければならないので、内容（政策）は東京都仕様にしておきました。参考にしてみてください。また、先ほども述べましたが、「『未来の東京』戦略」を読み、あらかじめ柱ごとに政策をまとめて、取組みを段落にしておくといいと思います。

というより、自分なら絶対にそうします。私が教えている受験生は100％このように準備して、毎年たくさん合格しています。

例題2

(1) 別添の資料から、誰もが安心して働き続けられる東京を実現するために、あなたが重要であると考える課題を200字程度で簡潔に述べよ。

(2) (1)で述べた課題に対して、都はどのような取組を進めるべきか、あなたの考えを述べよ。

なお、解答に当たっては、解答用紙に(1)、(2)を明記すること。

（令和3年度）

<資料1>

「仕事」、「家庭生活」、「地域・個人の生活」の関わり方

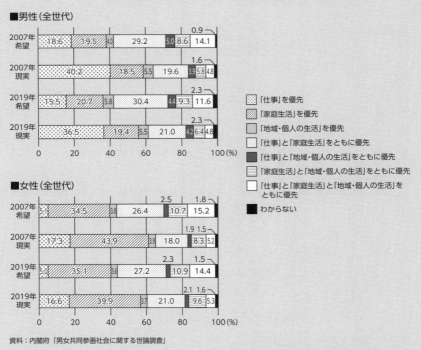

資料：内閣府「男女共同参画社会に関する世論調査」

出典：厚生労働省「令和2年版 厚生労働白書」より作成

年齢階級別就業率の推移（東京都）

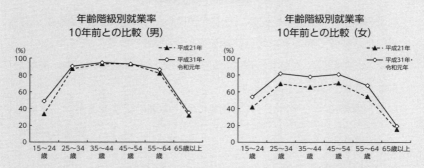

年齢階級別就業率
10年前との比較（男）

年齢階級別就業率
10年前との比較（女）

出典：東京都「平成31年・令和元年　東京の労働力（労働力調査結果）」より作成

<資料2>

初職の離職理由（平成29年度）

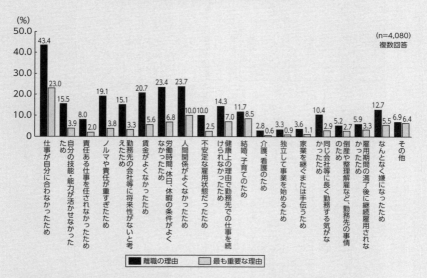

(注) 最初の就業先を離職した者について、「離職の理由について教えてください。」の問いに対する回答。

出典：内閣府「平成30年版　子供・若者白書」より作成

合格答案例

(1)

　資料 1 より、男女を問わず「仕事」と「家庭生活」をともに優先したいと考えているにもかかわらず、それを実現できていないことがわかる。一方、女性の M 字カーブは改善しているものの、完全に解消するには至っていない。そこで、第一の課題として、ワーク・ライフ・バランスの実現を挙げたい。一方、資料 2 を見ると、初職の離職理由として「仕事が自分に合わなかったため」が多い。そこで、第二の課題として、雇用のミスマッチの防止を挙げたい。

（207 文字）

(2)

　　　第一に①、ワーク・ライフ・バランスの実現については、都は企業に対する呼びかけを徹底する取組が必要である。なぜなら、人を雇っている側である企業の意識が変わらなければ、ワーク・ライフ・バランスを実現することは不可能と言えるからである。そこで、ワーク・ライフ・バランスの推進に取り組む企業に対して、都の側が優良企業として認定・表彰することで、企業のイメージ向上につなげていくとよい。現に東京都では積極的な取組を行っている企業を「東京ライフ・ワーク・バランス認定企業」として表彰しているが、このような制度を大々的に広く PR することで、特に代替要員の確保が難しく人員に余裕のない中小企業の意識をも変えていくことができると考える。さらに、事業者向けの行政窓口を設け、随時各事業者に対して、有効な取組を紹介することも必要であろ

①第一に……
この段落は、「テーマ 01 仕事と生活の調和」の取組み①を東京都用にアレンジしているよ。

う。個別事情に応じた伴走型のサポートを充実させることで、より多くの企業がワーク・ライフ・バランスに取り組めるようになるのではないだろうか。

　また[2]、働き方の変化に対応するべく、都は今後ますますテレワークを推進していく必要がある。近時、在宅勤務やモバイルワーク、サテライトオフィス勤務など、会社のオフィス以外の場所で働くスタイルが流行りつつある。もちろん労務管理が難しい点や健康面の把握が困難である点などワーク・ライフ・バランスを実現する観点からは乗り越えていかなければならない課題が多い。しかし、これらを上手く活用すれば、育児と仕事の両立をしたいという声に応えることができ、ひいては女性のM字カーブの完全解消にもつながる可能性がある。

　　　　　　第二に[3]、雇用のミスマッチを防止するためには、都は各種セミナーや企業説明会を開催し、企業を知る機会を多数設けていくべきである。その際、参加企業に対しては、徹底した情報公開を求めることが必要であろう。これにより、資料２に見られる「自分の技能・能力が活かせなかったため」「賃金がよくなかったため」「労働時間、休日、休暇の条件がよくなかったため」「人間関係がよくなかったため」など、職場の実情を把握していないことから生まれるミスマッチを未然に防ぐことができるはずだ。また、インターンシップの積極活用を呼び掛けることも必要である。最近は課題解決型インターンシップが流行しているが、これは単なる企業理解にとどまらず、当該企業の抱える課題やその解決方法を模索することで、仕事理解につながる。それゆえ高い人材育成の効果とミス

[2] また……
この段落は、「テーマ01　仕事と生活の調和」の取組み③を東京都用にアレンジしているよ。

[3] 第二に……
ここは、現場思考で考えていかなければならない段落だ。詳しくは「ここがPOINT」で説明するよ。

マッチを防ぐ効果を期待できるというわけである。しかし、企業によってはノウハウの蓄積がなく実施に踏み出せないケースも考えられる。そこで、都としては個別の成功事例を紹介することで手段・方法を提示できるようサポートを厚くしていくとよいだろう。

このように、都は今後ともワーク・ライフ・バランスの環境を整え、雇用のミスマッチを防ぐための取組を加速させていく必要がある。そして、これらの取組を通じて、誰もが自分らしく、輝ける東京を実現していくことが求められる。

（1248文字）

＼ここがＰＯＩＮＴ／

資料の意図や目的をしっかりと把握し、端的に
まとめるようにしよう！

設問(1)について

　「誰もが安心して働き続けられる東京を実現するために、重要であると考える課題」を 200 字程度でまとめる必要がありますが、資料 1、2 を上手く使って 2 つにまとめたいところですね。なぜなら、資料 1 と 2 はそれぞれ読み取れることに違いがあるからです。資料 1 ではほとんどの人がワーク・ライフ・バランスを課題として引っ張るでしょう。正解はないのですが、資料 1 では希望と現実とのギャップに目をつけるべきです。男女ともに「現実は希望のように上手くいっていない」という現状を読み取ることができます。今回はスルーしましたが、2007 年と 2019 年を比較すると、あまり改善がみられないので、この点を課題としてもあげてもいいかもしれません。ただ、せっかく男女別々のデータが載っているので、両者に共通する課題を見つけていきたいですね。ワーク・ライフ・バランスは男女ともに問題となっていることが明らかですからね……。また、M 字カーブは女性の方に目をつけるべきです。改善はしているものの、解消にまでには至っていないという点が読み取れればOK です。確かに、M 字の底は浅くなってはいますが、男性にくらべて労働市場からいったん離脱する人が多いことがわかります。そこで、どのようにして働き続ける選択をしてもらうか、という視点で課題を設定しても構いません。

次に、資料２ですが、これは初職の離職理由のグラフですから、若者の離職率が高いという認識が前提としてあります。そして、内容を見ると「こんなはずじゃなかった」的な理由が多いことに気づかされます。そうなると、ミスマッチが生じている点が課題となりそうですね。実際、受験生の多くがこのミスマッチの防止を課題として挙げていました。ミスマッチは雇う側にとっても雇われる側にとっても不幸をもたらしますので、この雇用のミスマッチをどのように防いでいくかが課題となるわけです。

設問(2)について

　ワーク・ライフ・バランスの実現については、企業に対する働きかけがキーとなります。正直、雇われている側が何とかできる問題ではないので、雇っている側の意識向上が解決の糸口となるわけです。今回は認定・表彰というオーソドックスなことを書いておきました。この点は「テーマ01 仕事と生活の調和」の合格答案例を参考に書くことができます。また、テレワークの推進も触れたいところです。なぜなら、テレワークのメリットの一つに、ワーク・ライフ・バランスを実現しやすい、というものがあるからです。ただ、実際は、隠れ残業が問題となっていたり、仕事と私生活の境目がなくなりむしろワーク・ライフ・ミックスになっていたりと新しい課題はあります。これらの点については今回の答案例では触れませんでしたが、もし触れられたら加点となるでしょう。

　一方、雇用のミスマッチの防止については、就職する前に企業理

解をちゃんとできるような仕組みを整える、という発想が重要です。そうなると、月並みではありますが、各種セミナーの開催や企業説明会の開催に行き着きます。ただ、参加する企業には何らかの指標を設けて、一定の条件を課すといいですね。例えば、参加企業は必ず労働条件や職場環境などのコア情報を公開しなければならない、というようなものです。また、課題解決型インターンシップにはぜひ触れたいところです。これは今めちゃめちゃ流行っていますし、これによって、働くイメージを持ってもらえるので、メリットしかありませんね。なお、この段落は、これまでのように第1章から引っ張ってきたものではありませんが、ここで触れている企業説明会、課題解決型インターンシップは「テーマ24 U・Iターン戦略」で取り上げている内容です。ですから、資料分析をして、それに見合う取組みを自分で考えれば、十分対応することが可能ですね。

ここを CHECK

東京都Ⅰ類Bの小論文は「型」で書ける！

　次に、東京都Ⅰ類Bで使える「型」を示しておきます。これはあくまでも1つの例に過ぎませんが、皆さんが実際に答案を書く練習をする際の参考になればいいと思います。ぜひ、自分なりにカスタマイズして使ってください。

(1) 別添の資料から、都が〜を実現するために、あなたが重要であると考える課題（問題点）を200字程度で簡潔に述べよ。

STEP1 資料分析	「まず、資料1から〜が読み取れる」
STEP2 評価	「これは○○を意味する」
STEP3 課題の提示	「そこで、△△を第一の課題として挙げたい」
STEP4 資料分析	「また、資料2から〜が読み取れる」
STEP5 評価	「これは◇◇が原因であると考えられる」
STEP6 課題の提示	「そこで、□□を第二の課題として挙げたい」

(1)の型のポイント

- 現状・現況はほとんど書かなくてよい。これを書いていると字数オーバーとなってしまうためである。もし、現状・現況を書きたければ、(2) 取組の中で触れること。

- 資料が複数添付されているのが通常であるが、挙げる課題の数は1つでも2つでもよい。ただ、資料間の関連性がある場合は課題を1つにまとめて挙げることができるが、資料間の関連性がない場合は課題を1つにまとめるのは無理なので、2つに分けて挙げることをおススメする。

- 課題を書く際のマニュアルは、資料を分析し事実を読み取る（資料分析）→評価をする（評価）→課題を挙げる（課題の提示）という順番で書く。もっとも、字数オーバーになりそうな場合やシンプルに書きたい場合は、評価部分をカットしても構わない。

- 課題は2つまでが相場である。3つ以上挙げてしまうと、取組みも3つ以上書くことになるので、紙面が足りなくなるリスクが生じる。

⑵ ⑴で述べた課題に対して、都はどのような取組を進めるべき
か、あなたの考えを述べよ。

<⑴の課題提示 → 取組み>

STEP1 結論	「第一に、△△の課題に対しては、都は●●の取組を進めるべきである。」

↓

STEP2 現状・現況、資料分析	「近時、～である。」または「資料１では～。」

↓

STEP3 必要性	「しかしこれでは～ということになってしまう。」

↓

STEP4 結論の繰り返し	「そこで●●の取組が必要である。」

↓

<東京都の政策提示 → 意見提示 → 評価>

STEP5 政策紹介	「現在、東京都では、～を行っている（政策紹介）。」または「例えば、～のような制度を導入するのはどうだろうか。」

↓

STEP6 意見提示	「～するべきである。」

↓

STEP7 評価→自分の考え	「これにより～という効果を期待できる。～につながる。」

※以降、二つ目の課題についても同様に論じる

⑵の型のポイント

- まず、現に都でやっている取組みを抽象化して、自分の主張にする。それをなるべく最初に結論として述べる。こうすることで、主張がぶれなくなる。

- 次に、現状・現況か資料分析を入れると、文章の流れがよくなる。

- さらに、都の政策を紹介する（紹介しないで意見提示でも可）。政策を入れたら、貼りつけ感をなくすために、必ず何らかの評価をしてから自分の考えにもっていく。最後に、留意点とその解決策を挙げられたらもっとよい。

パターン02
国家一般職

　国家一般職の出題は、簡単な資料が与えられ、そこから問題点や課題点を読み取る形式が多く見られます。平成25年度まで及び平成30年度、令和元年度から令和6年度は東京都Ⅰ類Bのように、グラフや何かの文章の抜粋が資料として提示されています（P309～311例題3・P317～318例題4・P325～326例題5参照）。ただ、平成26年度から平成29年度は4年続けて、文中に資料の一部抜粋が組み込まれている形式でした。どちらの形式が出題されるかわからないので受験生としてはどちらにも対応できるように準備しておくべきでしょう。

ここからSTART

国家一般職の傾向と書き方を押さえよう！

　国家一般職でも結局やることは一緒です。本書で用意してある取組みを組み合わせて答案化すればいいのです。

　もちろんそれでは対応しにくい問題もありますが、その場合は多くの受験生にとっても同じ状況なので気にすることはありません。構成をその場で考え、多くの受験生が思いつくであろうことを書いておけば合格答案になります。ただ、ここで注意点を2つ指摘しておきます。

　1つ目は、国家一般職の場合は、地方自治体が行っているようなミクロレベルの政策は書く必要がない、という点です。もちろん、書けと言われたら書くのですが、そうでない限りはあまり書きません。

　2つ目は、字数の問題です。今回の合格答案では少し欲張って多めに書いておきましたが、実際のところ、国家一般職は試験時間が60分と非常に短いので、字数は書けても1000〜1200字程度が関の山だと思っておきましょう。したがって、主張をたくさん書くことはできません。そこで、あらかじめ「主張は2つまで」などと自分の中でマニュアル化しておくといいでしょう。

例題3

　我が国は、2020年10月に、2050年までにカーボンニュートラル*を目指すことを宣言した。また、2021年4月には、2030年度の新たな目標として、温室効果ガスを2013年度から46％削減することを目指し、さらに50％削減に向けて挑戦を続けるとの新たな方針を示した。なお、世界では、120以上の国と地域が2050年までのカーボンニュートラルの実現を表明している。

　　*カーボンニュートラルとは、温室効果ガスの排出を全体としてゼロにすること

　上記に関して、以下の資料①、②を参考にしながら、次の(1)、(2)の問いに答えなさい。

(1) カーボンニュートラルに関する取組が我が国にとって必要な理由を簡潔に述べなさい。

(2) カーボンニュートラルを達成するために我が国が行うべき取組について、その課題を踏まえつつ、あなたの考えを具体的に述べなさい。

　　　　　　　　　　　　　　　　　　　　　　　　　　　　（令和4年度）

<資料①>

日本のエネルギー起源 CO_2 排出量[※1] と
カーボンニュートラル達成イメージ

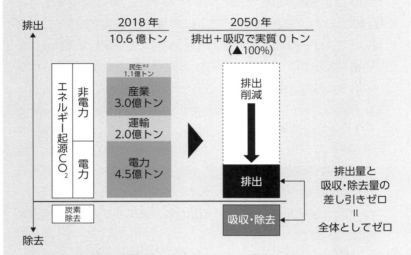

	2018 年	2050 年
	10.6 億トン	排出＋吸収で実質 0 トン（▲100％）

※1　燃料の燃焼、供給された電気や熱の使用に伴って排出される CO_2 の排出量
※2　一般の人々の生活（家庭部門）や店舗などの第三次産業（業務部門）のこと

（経済産業省ウェブサイトを基に作成）

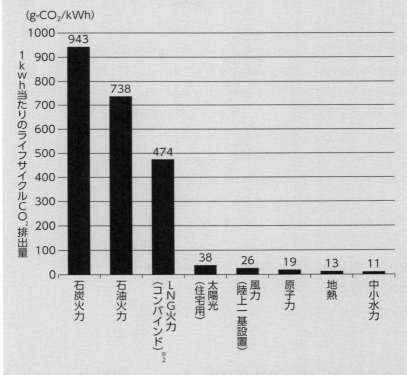

<資料②>

各種発電技術のライフサイクル CO₂ 排出量[1] の比較

(g-CO₂/kWh)

1kWh当たりのライフサイクルCO₂排出量

- 石炭火力: 943
- 石油火力: 738
- LNG火力（コンバインド）[2]: 474
- 太陽光（住宅用）: 38
- 風力（陸上一基設置）: 26
- 原子力: 19
- 地熱: 13
- 中小水力: 11

※1 発電燃料の燃焼に加え、原料の採掘から発電設備等の建設・燃料輸送・精製・運用・保守等のために消費される全てのエネルギーを対象として CO₂ 排出量を算出
※2 ガスタービンと蒸気タービンを組み合わせた、熱効率の高い複合発電方式

(経済産業省ウェブサイトを基に作成)

合格答案例

(1)

　我が国にとって、カーボンニュートラルに関する取組が必要な理由は主に2つある。まず、CO_2の排出による気温上昇が深刻な自然災害を引き起こすからである。近年、世界各地で多発している洪水や豪雨、山火事などの自然災害は温暖化が原因とされている。そこで、気候危機を回避し、将来の世代も安心して暮らせる、持続可能な経済社会をつくるためにも、今から取り組む必要がある。次に、国際的な脱炭素化の流れと歩調を合わせる必要があるからである。設問にもあるように、パリ協定を発端として、今や世界120以上の国と地域が2050年までのカーボンニュートラルの実現を表明している。このことから、地球温暖化は、全世界が歩みを同じくして対処していかなければならない喫緊の課題である。特に、CO_2排出量が世界5位の日本の取組は、世界各国が注目しているものと考えられる。

（366文字）

(2)

　　　　カーボンニュートラルを達成するためには、温室効果ガスの排出を削減する取組と吸収または除去する取組の双方を行っていくことが必要である。そこで、以下2つを分けて述べる。
　第一に[1]、温室効果ガスの排出を削減するため、各部門に対して脱炭素に向けた行動を促していく必要がある。CO_2排出量の多い産業・運輸（資料①）については、エネルギーを多く使用する業種、例えば鉄鋼、化学、セメント、

[1] 第一に……
次ページ8行目「近づきやすくなるからである。」までの部分は、「テーマ29 地球温暖化対策」の取組み①を国家一般職用にアレンジしているよ。

紙・パルプなどを中心に、IoT を活用したエネルギーの「見える化」を促し、設備運用の改善や、自動制御などの工場のエネルギー管理を見直す契機を作っていくべきである。また、省エネルギーの技術開発や導入支援の強化にも取り組む必要がある。併せて、電力購入を実質再生可能エネルギー由来に切り替えるよう呼びかけることも大切である。省エネと再生可能エネルギーへの投資を組み合わせることで、排出量ゼロにより近づきやすくなるからである。同じく、CO_2 排出量が多い電力（資料①）については、発電技術の転換が求められる。特に資料②にあるように、CO_2 排出量の多い石炭火力や石油火力の依存度を下げ、再生可能エネルギーを活用した発電技術の開発・強化を優先していく必要があるだろう。もっとも、再生可能エネルギーを最大限に活用するためには、蓄電技術や送電網の強化などが課題となる。これらに対しては、優先的に予算を割き、国をあげて技術の開発・導入に力を入れていくべきだろう。

　一方②、生活（家庭部門）（資料①）に対しては、2022年 10 月から行っている国民運動「デコ活」を推進し、国民全体に賢い選択をするよう普及啓発を続けていかなければならない。例えば、再生可能エネルギー由来の電力への切替えを促したり、クールビズ・ウォームビズなどの脱炭素なライフスタイルへの転換や、自動車から自転車への移動手段の転換を促したりすることなどが考えられる。このように、環境負荷を減らすためには生活自体をエコに切り替えていくことが肝要だ。また、今後は再生可能エネルギーをより一層活用する観点から、住宅への太陽光パネルの設置を加速させ、自家消費モデルの構築に努めていくべきで

②**一方……**
この段落最後までの部分は、「テーマ29 地球温暖化対策」の取組み②を国家一般職用にアレンジしているよ。

あろう。ただ、これを実現するには、蓄電池の購入・設置が不可欠となるため、国は補助金を設けるなどして、家計の負担をできる限り減らしていくことが求められる。

第二に[3]、温室効果ガスを吸収または除去する取組については、緑化を推進していくことが求められる。緑を増やすことで、光合成時に使われる大気中のCO_2の吸収量を増やすことができるからである。そこで、国は屋上の緑化、壁面の緑化、校庭の芝生化などを進めるため、既存の成功事例を紹介したり、ガイドラインを作成したりしていくことが求められる。もっとも、緑化は始めた後のメンテナンスコストがかかるという課題がある。そこで、導入のあっせんだけでなく、メンテナンスのスケジュールや、自社管理のノウハウなども詳細に示していく必要がある。一方、吸収または除去する取組は大気中に存在するCO_2を回収して貯留するネガティブエミッション技術の社会実装が考えられるが、このような先進的な技術開発に際しては、国が主導して産学連携で取り組む必要があるだろう。

今や地球温暖化は、全世界が直面している喫緊の課題である。カーボンニュートラルをいち早く実現し、世界をリードできるよう今後とも国をあげた継続的な取組が求められる。

（1408 文字）

[3] 第二に……
「テーマ29 地球温暖化対策」の取組み③を国家一般職用にアレンジしているよ。

＼　ここがＰＯＩＮＴ　／

国家一般職の場合は国レベルの取組みを書く必要があるよ。地方レベルの取組みに偏らないよう注意しよう。

設問⑴について

　問われていることは、カーボンニュートラルに関する取組みが我が国にとって必要な「理由」です。国家一般職らしい難しい問いかけです。

　さて、皆さんはどう考えますか？　理由と言われても困りますね。設問では資料①、②を参考にしながらとは書いてありますが、よくよく見ると、資料①、②ともに理由付けとして直接的に使えるようなものが見当たりません…。これには多くの受験生が現場で頭を悩ませたとのことですが、少なくとも資料①から、CO_2 の排出による気温上昇が深刻な自然災害を引き起こす点に触れられるといいですね。資料②にはカーボンニュートラルの取組みを行う理由らしきものは見当たらないので、今回は国際的な脱炭素化の流れと歩調を合わせる必要性を書いておきました。これは柱書の部分を参照して無理やり書いた感じです。

設問⑵について

　設問を見ると、書くべきことは、❶カーボンニュートラルを達成するために我が国が行うべき取組み、❷その課題、の２つであるこ

とがわかります。❷の課題は取組みを行う際に課題となることを留意点として述べることが必要です。ただ、取組み全部についていちいち課題に触れる必要はありません。全体を通していくつか課題に触れている部分があれば問題ないでしょう。

　今回は「テーマ29 地球温暖化対策」の取組みを組み合わせて書いてみました。使える部分と使えない部分がありますので、そこは現場判断となります。

　温室効果ガスの排出を削減する取組みと吸収または除去する取組みの双方を行っていくことが必要ですね。資料がありますので、なるべく資料と突き合わせて書くことが求められます。「資料①より」「〇〇（資料①）」などといった感じで、出所を示しながら書くとGood です。

　カーボンニュートラルの取組みは排出削減の方がメインになります。ですから、分量的に「第一に」が長くなりますが、これは仕方ありません。今回は資料と突き合わせて、産業・運輸（資料①）、電力（資料①）、生活（家庭部門）（資料①）に分けて書いてみました。全部触れる必要はないかもしれませんが、資料①を見ると、産業・運輸・電力の排出が多いので、これらについては最低限触れた方がいいと思います。一方資料②は CO_2 排出量の多い石炭火力や石油火力の依存度を下げるべきとの主張をする際に使いました。

　次に、吸収する取組みは緑化を書ければ及第点でしょう。森林保全や植林などにも触れた人がいるようですが、それはそれで加点になると思います。一方、除去する取組みに触れられた人はほとんどいませんでした。知識がない場合は特に触れる必要はないでしょうね。

例題4

　我が国においては、文化財の滅失や散逸等の防止が緊急の課題であるとされ、茶道や食文化などの生活文化も含め、その保護に向けた機運が高まってきている。

　文化財保護法については、平成30年に、地域における文化財の総合的な保存・活用や、個々の文化財の確実な継承に向けた保存活用制度の見直しなどを内容とする改正が行われ、また、令和3年に、無形文化財及び無形の民俗文化財の登録制度を新設し、幅広く文化財の裾野を広げて保存・活用を図るなどの改正が行われた。

　このような状況に関して、以下の資料①、②、③を参考にしながら、次の(1)、(2)の問いに答えなさい。

(1) 我が国が文化財の保護を推進する意義について、あなたの考えを述べなさい。

(2) 我が国が文化財の保護を推進する際の課題及びそれを解決するために国として行うべき取組について、あなたの考えを具体的に述べなさい。

(令和5年度)

資料① 文化財保護法における「文化財」の種類とその対象となるもの

有形文化財	・建造物、絵画、彫刻、工芸品、書跡、典籍、古文書その他の有形の文化的所産 ・考古資料及びその他の歴史資料
無形文化財	・演劇、音楽、工芸技術その他の無形の文化的所産
民俗文化財	・衣食住、生業、信仰、年中行事等に関する風俗慣習、民俗芸能、民俗技術及びこれらに用いられる衣服、器具、家屋その他の物件
記念物	・貝づか、古墳、都城跡、城跡、旧宅その他の遺跡 ・庭園、橋梁、峡谷、海浜、山岳その他の名勝地 ・動物、植物、地質鉱物
文化的景観	・地域における人々の生活又は生業及び当該地域の風土により形成された景観地
伝統的建造物群	・周囲の環境と一体をなして歴史的風致を形成している伝統的な建造物群

(出典) 文化財保護法を基に作成

資料②　**生活文化等に係る団体※のアンケート調査結果**

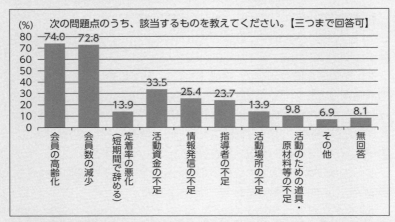

(%)　次の問題点のうち、該当するものを教えてください。【三つまで回答可】

会員の高齢化	74.0
会員数の減少	72.8
定着率の悪化（短期間で辞める）	13.9
活動資金の不足	33.5
情報発信の不足	25.4
指導者の不足	23.7
活動場所の不足	13.9
活動のための道具・原材料等の不足	9.8
その他	6.9
無回答	8.1

※文化芸術基本法第3章第12条に「生活文化」として例示されている「華道・茶道・書道・食文化」をはじめ、煎茶、香道、着物、盆栽等の専ら生活文化の振興を行う団体等

（出典）　文化庁「平成29年度生活文化等実態把握調査事業報告書」を基に作成

資料③　**文化財多言語解説整備事業の概要**

　訪日外国人旅行者が地域を訪れた際、文化財の解説文の表記が不十分であり、魅力が伝わらないといった課題が指摘されることもあります。文化庁では、文化財の価値や魅力、歴史的な経緯など、日本文化への十分な知識のない方でも理解できるように、日本語以外の多言語で分かりやすい解説を整備する事業として、「文化財多言語解説整備事業」を実施しています。多言語解説として、現地における看板やデジタルサイネージに加えて、QRコードやアプリ、VR・ARなどを組み合わせた媒体の整備を積極的に支援しており、これにより訪日外国人旅行者数の増加及び訪日外国人旅行者が地域を訪れた際の地域での体験滞在の満足度の向上を目指すものです。

　これまで平成30年度から令和2年度までの3年間で124箇所を整備済みであり、令和3年度末までには175箇所となる予定です。

（出典）　文化庁「文化庁広報誌 ぶんかる」（2021年11月11日）を基に作成

合格答案例

(1)

　私が考える文化財の保護を推進する意義は2つである。1つ目は、国民の文化的向上に資するとともに、世界文化の進歩に貢献することができる点である。これらは資料①の文化財保護法の目的🔟にもかなう。特に、我が国が諸外国からの要請に応え、文化財保護に協力することは、国際的な文化財保護の推進に寄与するという意味で、国際貢献の観点からも重要である。2つ目は、地域の魅力を高め、交流・関係人口の創出につながる点を挙げることができる。資料③においては、文化財多言語解説整備事業の概要が書かれているが、このような文化財としての価値を生かし、訪日外国人旅行者数の増加及び訪日外国人旅行者の満足度を向上させるためには、前提として、文化財の保護の推進も同時に図られなければならない。

（327文字）

🔟 文化財保護法の目的

文化財保護法は「文化財を保存し、且つ、その活用を図り、もって国民の文化的向上に資するとともに、世界文化の進歩に貢献することを目的」としているよ（文化財保護法1条）。

(2)

　我が国が文化財の保護を推進する際の課題として、まず、文化財の保護にかかわる人材面の不足を挙げることができる。資料②には生活文化等に係る団体の抱える問題点として、会員の高齢化や会員数の減少などが上位に掲げられている。このような状況では、長期的にみて文化財を保護するための人材に不足を生じることは必至である。次に、文化財の保護に必要な資金を確保できないという課題を挙げたい。資料②からも生活文化等に係る団体が活動資金の不足を問題点と考えているため、文化財

の維持管理・修繕費を賄うことができていないことが予想される。では、これらを解決するために国として行うべき取組は何か。以下私の考えを述べる。

　　　第一に、文化財の保護にかかわる人材面の不足に対しては、保護にかかわる人材を増やすため、国民の文化財保護への理解と参加を促進するための普及啓発や広報活動を行うべきである。具体的には、ホームページや文化遺産オンラインの国民への周知だけでなく、文化財を地域づくりに役立てられるよう、文化財保護に関する情報を一元的に提供する仕組みを作るとよいだろう。その際、国指定、地方指定などといった序列にこだわらず、地域において、重要な文化財としてリストアップされたものについて公平に情報発信を行うことが求められる。国は、令和3年に改正文化財保護法で、無形文化財及び無形の民俗文化財の登録制度を新設し、幅広く文化財の裾野を広げて保存・活用を図った。このような登録制度の活用を広く呼び掛けることも必要である。また、文化財整備の際に求められる個別の**保存活用計画**②を作成できる専門家や、専門家以外で保護に主体的にかかわれる人材の育成及びそのシェアに向けた取組が必要である。例えば、住民の中から専門的な能力を持った人を養成し、受入れ先団体へ派遣する仕組みを整えることなどが考えられる。併せて、ボランティアなどで広く文化財保護に参加してもらう人を増やすことも必要である。国としては、このような取組を自治体、民間と連携して行っていくべきである。

　　　第二に、文化財の保護に必要な資金を確保できないという課題に対しては、国からの金銭的支援

② 保存活用計画
なお、文化財保護法には「文化財保存活用地域計画」の認定制度がある。令和6年7月時点で、全国で計169件が認定されている。文化財の保存・活用に関する総合的な計画のことだと思っておこう。

とは異なる、自助や共助の力で資金を確保する仕組みを作っていくことが必要である。まず、自助の力で資金を確保する手段としては、文化財の積極的な活用により、保存のための資金を確保することが考えられる。「保存」と「活用」のサイクル③ を構築するということである。そこで、文化財を可能な限り公開し、多様化する観光ニーズに沿った積極的な活用を実現することで、安定的な対価を確保できるようにしていくべきである。その際、強力なインバウンド需要を呼び込むためにも、多言語解説やバリアフリー・ユニバーサルデザインの徹底など、誰もが快適に楽しめる文化財環境を整備していく視点が必要だ（資料③参照）。国としては、ガイドラインを策定し、文化財活用のための効果的な事例を参照可能な形で示していくことが求められる。一方、共助の力で資金を確保する手段としては、例えばふるさと納税やクラウドファンディングの活用など④ が考えられる。広く文化財保護の意義や地域への還元性などを強調することで、社会全体で文化財の維持管理・修繕費を負担しあう意識が生まれる可能性がある。国としては、実証的なモデルケースを作るために、自治体と連携して、アイデアの募集や情報・ノウハウの提供に努めるべきである。

　　　文化財は国民共有の財産である。文化財を良好な状態で保存し、適切な活用を図ることは、地域の魅力や住民の一体感、結束力を高めていくことにもつながる。後世まで安定的に文化財を継承していくためも、国は社会全体で文化財保護に取り組む機運を作り出していく必要がある。

（1540 文字）

③「保存」と「活用」のサイクル
「保存」と「活用」は一体的にとらえるのが普通だよ。①文化財を保存し、次世代へと継承する、②公開・活用を通じて、親しみと価値への理解を深めるようにする、という流れが普通かな。

④ ふるさと納税やクラウドファンディングの活用など
「文化財保護のための資金調達ハンドブック」に詳細は書いてある。

本問のように見たことのない問題にどう対処して
いくのか。それは、添付資料をしっかりと読
み込むことから始めるとよいよ。

設問(1)について

　問われていることは、我が国が文化財の保護を推進する意義です。
受験生の報告より、文化財の知識がない中で意義を考えるのなんて
無理だ〜という声が多くありましたが、このように見たことがない
設問に対しては、資料を読み込むことが何よりも大切です。そして、
プラスαでご自身の考えを添えられればOK。今回の資料①〜③を
見ると、資料①は文化財保護法における「文化財」の種類とその対
象となるものが記載されていますので、パッと見ただけで、「こんな
にたくさんあるんだぁ」という感想が出てきますね。日本には資源
がたくさんあることが分かります。文化財を保護することは資源を
守ることにつながります。資料②からは、文化財保護をしていく際
に障壁となる事情が多数見受けられますね。次世代に継承するため
に文化財の保護が大切、という形の持っていき方が可能かもしれま
せん。資料③からは、文化財としての価値を生かし、訪日外国人旅
行者数の増加及び訪日外国人旅行者の満足度を向上させる必要があ
ることがうかがえます。

　このように、資料を見れば、ある程度書くべき方向性が決まりま
すので、焦る必要はありません。今回の答案は、まずは、国民の文

化的向上に資するとともに、世界文化の進歩に貢献することができる点を挙げました。文化財保護法の目的を知っている人は書けるかもしれませんが、そうでないと書けないと思います。次に、地域の魅力を高め、交流・関係人口の創出につながる点を挙げました。これは資料③から容易に導くことができますね。

設問(2)について

設問を見ると、❶文化財の保護を推進する際の課題と、❷❶で挙げた課題を解決するための国の取組が問われています。課題と取組が関連していますので、課題をいくつも挙げてしまうと、取組もいくつも書かなければならなくなるので注意です。今回は課題を2つ挙げた上で、それぞれの課題に対する取組を書くという構成にしました。

課題としては、文化財の保護にかかわる人材面の不足を挙げました。これは資料②には生活文化等に係る団体の抱える問題点として、会員の高齢化や会員数の減少などが上位に掲げられているからです。また、文化財の保護に必要な資金を確保できないという課題も挙げておきました。これも資料②から引っ張りました。とにかく課題を自分で考える必要はなく、資料からそれらしきものを見つけて抜き出す姿勢が大切です。

次に取組ですが、文化財の保護にかかわる人材面の不足に対しては、普及啓発や広報活動を行うべきだ、という何とも当たり前のことを書きました。設問の柱書にあった改正文化財保護法のことを入

れて分量を膨らませているので（ごまかしているので）、このような
ちょっとした技術も真似していただければと思います。知識がない
のでたいしたことを書けていませんが、一定レベルの質を確保する
ことは可能です。一方、文化財の保護に必要な資金を確保できない
という課題に対しては、自助や共助の力で資金を確保する仕組みを
作っていくことが必要と書きました。「補助金に頼らずに何とかでき
ないかなぁ」と考えた結果、このような考えに至りました。ただ、
これも少し考えれば思いつくレベルだと思います。ふるさと納税や
クラウドファンディングを利用すればいいのでは？と頭によぎった
ので、それを素直に答案に吐き出した形となります。

　本問のように、見慣れない問題は、誰にとっても見慣れないはず
なので、少ない知識で答案化する技術が必要となります。その際に
ポイントとなることは以下の２つに集約されます。

①資料を駆使する
　→ 資料の中に書かれていることをそのまま自分の文章の中に滑
　　り込ませる
　→ ヒントはすべて資料の中にある

②自分で考えた「たいしたことのないアイデア」をしっかりと言
　語化する
　→ たいしたことがなくても、構成さえしっかりしていればそれ
　　なりの文章に見える

例題5

　2018（平成30）年6月に成立した働き方改革関連法に基づき、トラックなど自動車の運転業務の時間外労働についても、2024（令和6）年4月から上限規制が適用されることとなった。その結果、2024年度の輸送力（貨物輸送量等）は、2019年度のそれと比較して、14%（トラックドライバー14万人相当）不足すると推計されている。

　このような状況に関して、以下の資料①、②を参考にしながら、次の⑴、⑵の問いに答えなさい。

⑴ トラックドライバーに時間外労働の上限規制が適用されることによる影響について、その影響を受ける者ごとに整理しながら述べなさい。

⑵ ⑴の影響を踏まえ、我が国が行うべき取組について、あなたの考えを具体的に述べなさい。 　　　　　　　　　　　　　（令和6年度）

資料①　国内貨物のモード別輸送量

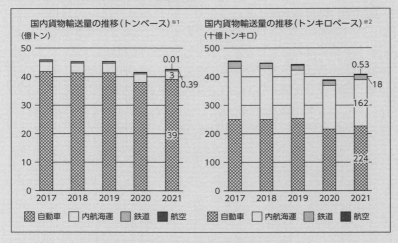

※1　輸送トン数は、輸送した貨物の重量（トン）の合計である。
※2　輸送トンキロは、輸送した貨物の重量（トン）にそれぞれの貨物の輸送距離（キロ）を乗じたものである。

（出典）国土交通省ウェブサイトを基に作成

資料② 物流の2024年問題に関する専門家の見方

Q. 政府は、トラック運転手の不足を受けて、今後10年程度で船舶や鉄道の輸送量を2020年度の2倍に増やす目標を掲げました。この動きをどう見ますか。

　これまで何日もかけてトラックで長距離運送をしていたが、その中間をフェリーや鉄道が担うためトラック運転手の労働時間が削減できる。長距離輸送で何泊もするような勤務が減れば、働き方を重視する若い世代や女性にとっても働きやすくなるだろう。さらに、フェリーや鉄道で荷物を運べば、トラックよりも二酸化炭素の排出量が削減され環境面でもメリットが大きい。

Q. 国の対策では、宅配便の再配達を減らすため、いわゆる「置き配」を選んだり、ゆとりのある配送日を指定したりした利用者にポイントを付与するサービスの実証事業を行うことも盛り込まれました。

　国民の行動変容を促すという点で、ポイント付与という経済的な動機付けは効果的だ。これまでどおりの早さで配達を希望する場合と数日遅れを認める場合とでポイントを付けたり価格差をつけたりする仕組みができれば、トラック運転手の労働時間を平準化することにつながる。再配達を希望する人には追加料金を求めるなど、相応の負担がかかることを利用者も理解していくべきだ。物流の2024年問題は、物流業界だけでなく、荷主や利用者の協力も欠かせない。

（出典）NHK NEWS WEB 記事 2023年10月10日を基に作成

合格答案例

(**1**)

　トラックドライバーに時間外労働の上限規制が適用されることにより、運転手、荷主、利用者の三者に影響を及ぼすことが考えられる。

　まず、運転手については、労働時間の減少がもたらされ、従前より労働環境が改善されるという影響が生じる。過酷な勤務条件が人手不足を引き起こしていたことを踏まえると、働き方を重視する若い世代や女性から職業として選ばれやすくなるだろう（資料②参照）。次に、輸送量の減少から、荷主については、集荷時間の前倒しや物流コストの値上げへの対応、新規物流企業との取引の検討などが影響として挙げられる。また、利用者についても、配送時間の長期化や配送遅延により生活への影響が生じる。特にインターネット通販の利用者にとっては、生活物資が届かず生活に支障が出ることも予想される。

（337 文字）

(**2**)

　(1)の影響を踏まえ、我が国が行うべき取組は以下の2つである。

　　　　　第一に、代替輸送手段の確保である。2024年度の輸送力（貨物輸送量等）が2019年度のそれと比較して14％減少すると推計されていることから、輸送力の維持・強化を図ることが喫緊の課題となる。そこで、トラック以外の輸送手段を確保する必要がある。例えば、船舶や鉄道を活用し、モーダルシフト□を実現していく。

□ モーダルシフト
トラック等の自動車で行われている貨物輸送を環境負荷の小さい鉄道や船舶の利用へと転換すること。

これにより、輸送力を維持しつつも運転手の負担軽減や働きやすい環境の創出、二酸化炭素排出量による環境問題への貢献などを実現することができる（資料②参照）。今後はトラック、船舶、鉄道が共同で使用できるサイズのコンテナの普及させていくことや、物流DXを推進し、物流施設の自動化・機械化を通じて効率化と省人化を図っていくことが求められるだろう。これらの取組を加速させるため、国は補助事業や顕彰事業などを展開し積極的に支援していくことが必要だ。

　　　　　第二に、利用者に対する再配達削減に向けた行動変容の呼びかけである。物流の負担軽減のためには、利用者自身の消費行動の見直しと制度理解が不可欠であるためである。そこで、国としては2024年問題の概要や対応策をまとめて、それを国民一般に周知することが求められる。例えば、運転手に対して自分の都合で何度も荷物の再配達をお願いしないようにする工夫や宅配ボックスを活用した「置き配」の推奨など、利用者がとるべき行動を一覧にしてわかりやすく説明していく。特に、宅配ボックスの設置については、期間限定で活用可能な補助金を用意するなどの支援策を講じるのも手である。また、資料②にあるように、「置き配」を選んだり、ゆとりある配送日を指定したりした利用者に対してポイントを付与するサービスの社会実装も求められる。このような経済的な動機付けは国民の制度に対する理解や利用を促すために効果的である。

　　　　　以上のような取組を継続的に行うことで、各層の理解を得ながら2024年問題の諸課題を乗り越えていく必要がある。

（836文字）

ここがPOINT

とにかく設問の問いに形式的に答えることが大切だよ。分量を書くことにこだわらず、的外れな解答をしないことだけを心がけよう。守りの答案で十分だよ。

設問(1)について

　本問で問われているのは、「トラックドライバーに時間外労働の上限規制が適用されることによる影響」です。ただ、指定としてこれを「影響を受ける者ごとに整理しながら」述べなければなりません。ここで、「影響を受ける者」とはだれなのかが問題となります。素直に考えれば、運転手（トラックドライバー）、荷主、利用者の三者が頭に浮かぶのではないでしょうか？まず、運転手にはプラスの影響が及ぶことが考えられますね。労働時間の減少がもたらされ、従前より労働環境が改善されることが期待できます。一方、荷主や利用者（消費者）には、ややマイナスの影響が及ぶこととなるでしょう。輸送量が減少するわけですから、荷主は集荷時間の前倒しに応じなければならず、また物流コストの値上げを甘受しなければならなくなります。利用者も、配送時間の長期化や配送遅延により生活への影響が生じるでしょうね。ネット通販を頻繁に利用する人にとっては死活問題となります。

設問(2)について

　(1)の影響を踏まえつつ、「我が国が行うべき取組」が問われています。こちらは資料を上手く活用して、論証の骨組みを作っていくことが大切になります。多くの受験生が用意していたテーマではないでしょうから、何とか資料に食らいついて論を展開することができれば十分に合格点が付きます。

　今回の合格答案例は、資料②から読み取れることに、若干の補足知識を付け加えて論証してみました。①代替輸送手段の確保と②再配達削減に向けた行動変容の呼びかけという大きな方向さえ外さなければ、正直、あとは資料をべったり写しても問題ないと思います。論証で使えるような記述がそのまま資料に掲載されているケースはめずらしく、「何も書けない人が出てきたら困る」という出題者の配慮が垣間見えますね。受験生としては、段落をしっかりと分けて、「抽象→具体」という論証の基本フレームを押さえて丁寧に書ければ及第点をもらえるでしょう。

パターン０３

特別区Ⅰ類

特別区Ⅰ類は、資料読み取り型とまでは言えませんが、設問に詳細な前提が書かれているため、他の試験とは異なる形式と考えてください。以下のような設問が出題されます。

> デジタルの活用により、一人ひとりのニーズに合ったサービスを選ぶことができ、多様な幸せが実現できる社会のために、自治体におけるデジタル・トランスフォーメーション（DX）が推進されています。
>
> こうした中で、特別区においては、専門人材の体制整備やデジタルを活用した区民サービスの更なる向上などの課題が存在しています。
>
> このような状況を踏まえ、地方行政のデジタル化について、特別区の職員としてどのように取り組むべきか、あなたの考えを論じなさい。　　　　　　　　　　　　　　　（令和６年度）

特徴は、大きく①現状と課題・重要性などがまとまっていること、②「特別区の職員」としての取組みを書く必要があること、の２つです。

まず、①については、ハンバーガーライティングでいう「導入部分」の書き方があらかじめ指定されていることを意味します。設問の一段落目に現状が書かれていて、二段落目に課題や重要性などが書かれています。そこで、これらを上手く要約して、問題提起につなげてい

くことが必要です。そつなくまとめてくれればそれで及第点となりますが、できれば、特別区固有の事情を入れられるといいですね。例えば、「特に人口の密集する特別区においては、○○は喫緊の課題である」といった形で書けるとかっこいいですよね。

　次に、取組みについてですが、「あなたの考え」を論じるわけですが、特別区の職員としてどのように取り組むのか、という視点で書かなければなりません。したがって、あまりに大きな政策論を展開してしまうと、「それは国や都道府県の役割では？」と思われてしまいますので注意しましょう。また、職員単体でできることにこだわりすぎるのもよくありません。なぜなら、何も書けなくなってしまうからです。したがって、「特別区という行政の一員として」行うべきことを考えるようにしてください。ただもちろん、普及啓発やパンフレットの作成、知識の習得、丁寧な説明、理解の促進、呼びかけ、などは職員単体でもできますので、どんどん書いて構いません。また、ご自身が一般的に書きあげた答案を特別区仕様にするためには、主張の付け加えをしてくれれば十分です。すなわち、一般の行政の取組みを書いた後に、「特別区の職員としても、○○に努めていくべきである」「特別区の職員としても、ガイドラインを作成し、それを区全体に広く周知していくべきである」など、ご自身の書いた論証に付け加えることにより形式だけ整えることでも対応できます。

合格答案例

　　　　現在、各自治体でデジタル・トランスフォーメーション（以下「DX」という）の取組みが推進されている。DXとは、デジタル技術やデータを活用して、行政サービスを変革し、新たな価値を創出する試みである。これまでも、各自治体は業務効率化を図るためのデジタル化や一部手続のオンライン化などに取り組んできたが、専門人材の不足や使い勝手の改善、利用率の向上など解決すべき課題は多い。このような状況を踏まえ、地方行政のデジタル化について、特別区の職員としてどのように取り組むべきか。以下具体的に述べる。

　　　　第一に[1]、業務プロセスを改革していくべきである。これまで、DXの土台づくりとして、事務のデジタル化や自動化・省力化、基盤整備を重点的に推進することが目指されてきたが、真のDXを実現するためには、単にデジタル技術を導入するだけでなく、デジタルを基本に従来の仕事のやり方や仕組みを変え、住民の利便性向上や新たなサービスの提供を目指していく必要がある。そこで、人間が行うべき業務以外については、生成AIやノーコードツールなどを活用して業務効率を高めていくべきである。そのため、特別区の職員としては、実践的なIT研修や所属単位のリスキリングなどを通じて、デジタルに対応できるスキルの向上に努めていかなければならない。

　　　　第二に[2]、住民サービスの向上に取り組むべきである。現在、申請手続のオンライン化が進み、

[1] 第一に……
テーマ36「DXの推進」の取組み①をアレンジしているよ。

[2] 第二に……
テーマ36「DXの推進」の取組み②をアレンジしているよ。

以前よりも手軽に手続を行えるようになってきた。しかし、申請受付はオンラインでできる反面、申請手続の事前相談や、申請後に生じる事業変更等の受付後処理については、いまだ役所に出向くことが必要なケースも見られる。そこで、このような手間を省き、住民の利便性を高めるために手続の全工程をオンライン化していく必要がある。特別区の職員としては、オンラインによる手続の利用を促進するため、区民向けの利用ガイドを定めて広く周知していくことが求められる。また、デジタルに不慣れな利用者の使い勝手に配慮するため、操作しやすいシステムの構築や画面設計など、誰もが手軽に利用できるデジタル環境を整備していく必要がある。

  第三に③、官民の連携強化である。DX を実現するにはさまざまな事業活動を担う主体が協働して一体的かつ横断的に取り組んでいくことが不可欠である。そこで、官民の枠組みを超えて、データの連携や有効活用を図るため、それぞれが保有する情報のオープンデータ化を推進し、情報基盤を活用したサービスの連携を進めていく。特別区の職員としては、このようにして蓄積されたデータを解析・活用することにより、区民のニーズに即した新しい政策立案に活かしていくことが求められる。

  DX を推進することは、現在生じているさまざまな社会課題を解決する糸口になる。そのため、特別区の職員は安心で便利なデジタル基盤を整備し、誰一人取り残されないデジタル社会の実現を目指していくことが求められる。

（1207 文字）

③ 第三に……
テーマ 36「DX の推進」の取組み③をアレンジしているよ。

ここがPOINT

問いの形式にしっかりとあわせて書くことが大切。導入部分が冗長になってしまう人が多いので注意しよう。

導入部分について

　導入部分はシンプルにまとめましょう。問題提起につなげる前提であるため、一段落目と二段落目を簡単にまとめるか、一段落目と二段落目を踏まえて自分なりに書き換えるか、をしてください。たまに「丸写し」する人がいますが、これは意味がありません。設問は「このような状況を踏まえ」（三段落目）となっている以上、少なくとも要約するくらいのことはしないと、書いている意味がありませんね…。今回はDXの定義を自分なりに入れて、理解を示してみました。なお、「問題提起をどう書けばわからない」という方がいらっしゃいますが、これは設問に書いてありますので、これこそ丸写しで構いません。すなわち、「地方行政のデジタル化について、特別区の職員としてどのように取り組むべきか」が問題提起です。

取組み部分について

　今回は取組みを3つに分けましたが、2つに分けるのでも構いません。書き方ですが、正直、テーマ36のDXの論証を特別区用にアレンジして貼り付けておけば足ります。あとは「特別区の職員として」

取り組むことができる点を自分なりに考えて、それぞれの段落の最後に軽く添えて出来上がりです。あまりにも大きな取組みを挙げない限り、出題趣旨からそれることはありませんので、「これは都でないとできないのではないか…」「むしろ国で取り組んだ方がいいのではないか…」などと神経質に考える必要はないでしょう。今回は「第二」の取組みに「デジタルに不慣れな利用者の使い勝手に配慮するため」という視点を入れ、デジタルディバイドの課題を少し触れましたが、「第三」の取組み自体をデジタルディバイドの解消としてしまう受験生も多かったですね。つまり、独立の取組みとして立ててしまう書き方もありです。

＼ 試験本番に注意すべき５か条 ／

最後に、本番の試験で受験生がよくやってしまうミスから小論文を書く際に
注意してもらいたい５か条を示しておきます。今後の参考にしてみてください。

１．問題文はしっかりと読む

現場での緊張から問題文をよく読まずに論点落としをしてしまう人がいます
（結構多いです）。そうすると、その部分は点数がもらえませんので注意しましょ
う。試験が終わった後に一番多く相談を受けるミスなので、決して他人事では
ありません。

２．「必ず」構成を書いてから実際の答案を書き始める

本番で予想していたテーマが的中した際、構成を書かずに答案を書き始める
人がいます。しかし、こういう人は大抵何かをやらかします（笑）。的中したと
きも、必ず構成を書いてから実際の答案を書き始めてください。

３．誤字や文法破綻に気を付ける

同じ内容が書けているのに評価が異なる最大の理由、それが誤字や文法破綻
です。この２つは読み手にストレスを与えるので、注意しましょう。一文書い
たら一文チェックするくらいのつもりで、極力ミスを減らしてください。

４．文字はしっかりと書く

上手い下手の問題ではなく、「しっかりとした」字で書いてください。字が読
みにくいと、どうしても「おいおい、読み手のことを考えてくれよ……」と思っ
てしまいます。下手でもしっかりとした字で書いてくれれば、それはそれで好
印象です。逆に、字が上手くても走り書きだと、がさつに見えます。字は小論
文で言う「顔」です。ぜひしっかりとした字で書いてください。

５．途中答案は絶対に避ける

これは絶対に避けてください。通常、途中答案は一発アウトになってしまい
ます（例外的に受かった人も知っていますが……）。まとめの段落をカットして
でも無理やり終わらせましょう。そつなく終わらせる技術も大切です。

【巻末資料】2023（令和5）年度 都道府県および政令指定都市論文課題

※ 2023 年度出題課題として公開されているもののみを掲載。「該当テーマ」は該当・関連する本書第 1 章のテーマ。

都道府県

都道府県	課題	該当テーマ
北海道	道では、多様な存在を認め、支え合う社会づくりを目指し、人権啓発活動の推進や、多文化共生に向けた意識啓発、障がい者の自立支援、外国人が暮らしやすい地域づくりなどに取り組んでいます。 このような社会づくりのためにはどのような取組が必要か、①具体的な取組と、②その理由について書きなさい。	34
青森県	青森県では、若者の県外流出が人口減少の大きな要因となっている。 若者の県内定着・還流を促し、青森県を働く場所、生きる場所として選ばれる地域にするため、県としてどのような取組ができるか、あなたの考えを述べなさい。	10 24 25
岩手県	岩手県の人口は、出生数の減少や若者を中心とした転出などにより減少が続いています。そこで、あなたの考える本県の人口減少に関する課題を挙げ、その課題を解決するために県として必要な取組は何か、具体的に論じなさい。	10
宮城県	令和 5 年 5 月に「孤独・孤立対策推進法」が成立し、国・地方における対策の強化が求められているが、孤独・孤立の問題が生じる背景や地域にもたらす影響を考察するとともに、行政としてどのような取組が有効と考えられるか、あなたの考えを述べなさい。	12
秋田県	新型コロナウイルス感染症の影響による生活意識や行動の変容、ＤＸやカーボンニュートラルに向けた動きの加速化など、私たちの生活や社会経済活動を取り巻く環境は、近年大きく変化しています。こうした変化に迅速・的確に対応し、本県の活性化を図っていくために必要と考えられる課題を一つ挙げ、本県の特色や優位性を活かす視点も加えた具体的な解決策について、あなたの考えを述べなさい。	36
山形県	山形県では、県民が幸せに暮らせる社会の構築を目指し、様々な分野におけるデジタル化を推進することとしているが、あなたが考えるデジタル化を進めるべき分野を挙げ、県が取り組むべき具体的な施策について述べなさい。	36
福島県	アフターコロナにおいて人の流れが戻る中、福島県の観光地がより一層賑わいを取り戻していくために、県が取り組むべきことについて、あなたの考えを述べなさい。	35
茨城県	少子化対策として県が行うべき施策について、あなたの考えを述べなさい。	03
栃木県	男女共同参画の推進について	02

都道府県	課題	該当テーマ
群馬県 [例題]	【例題1】群馬県では、「群馬県庁DXアクションプラン」を策定し、令和5年度（2023）までに日本最先端クラスのデジタル県の達成を目指している。行政のデジタル化の推進のために、県ではどのような施策に取り組めばよいか、あなたの考えを述べよ。 【例題2】本県は他県に先駆け、昨年3月に「群馬県多文化共生・共創推進条例」を策定したが、多文化共生・共創社会の一層の推進のために、今後群馬県としてどのようなことに取り組めばよいと考えるか。 ※多文化共生・共創社会…国籍、民族等の異なる人々が、互いの文化的な違いを認め合い、対等な関係を築こうとしながら、地域社会の構成員として共に生きるとともに、多様性を生かしつつ、文化及び経済において新たな価値を創造し、又は地域に活力をもたらす社会 【例題3】群馬県は「リトリートの聖地」のイメージの定着を目指しているが、県としてどのような施策に取り組んでいくべきか、あなたの考えを述べよ。 ※「リトリート」とは、数日間、普段過ごしている場所を離れて、日常生活の煩わしさから解放され、ゆったりと休暇を楽しむ過ごし方をいう	36 34 25
埼玉県 [例題]	県では、VTuber（バーチャルYouTuber）の人気や発信力に着目し、埼玉の観光を盛り上げるため、埼玉バーチャル観光大使を募集するオーディションを実施し、令和3年12月から「春日部つくし」が大使に就任している。「春日部つくし」は、これまでに様々な動画を通じて本県の観光や物産の魅力を発信してきた。 そこで、次の2点についてあなたの考えを900字以上1,100字以内で論じなさい。 1　本県がVTuberを観光大使とした背景には、どのような要因があると考えるか。 2　本県の観光資源や物産のうち、知られざる魅力があると考えるものを一つ挙げ、県職員としてVTuberをどのように活用して魅力を発信していくことが効果的と考えるか。	35
千葉県	2023年は千葉県が誕生して150周年を迎える。これまで、県内各地域では各分野において様々な地域資源に光をあてて、歴史的に評価される活動も数多く展開されてきた。それらの中には、発展的に継承していくことによって、これからの千葉県の魅力創造や課題解決にさらに活かせる可能性があるものも少なくない。 そこで今後、どのような地域資源が、いかなる魅力の創造や課題の解決において活かされうると考えるか、その方法とあわせて具体的に論じなさい。	25 35
東京都	（資料あり） (1)　別添えの資料より、正しい情報をタイムリーに伝える「伝わる広報」を展開するために、あなたが重要であると考える課題を200字程度で簡潔に述べよ。 (2)　(1)で述べた課題に対して、都はどのような取組を進めるべきか、あなたの考えを述べよ。	39

都道府県	課題	該当テーマ
神奈川県	政府は、令和4年10月28日に「物価高克服・経済再生実現のための総合経済対策」を閣議決定した。そこでは、リスキリング※への支援強化など、「人への投資」の施策の拡充を掲げている。 このように「人への投資」が必要である社会的な背景や課題に触れながら、社会全体としてどのような取組が必要であるか、あなたの考えを論じなさい。 ※新しい職業に就くために、あるいは、今の職業で必要とされるスキルの大幅な変化に適応するために、必要なスキルを獲得する／させること （経済産業省HPより抜粋）	02
長野県 [例題]	(資料あり) 長野県の産業を今後さらに発展させていくためには、産業を担う人材の育成が重要である。以下の資料を踏まえ、現状の産業や人材育成における課題を挙げた上で、長野県としてどのように人材育成を進めていくべきか、あなたの考えを具体的に述べなさい。	25
新潟県	新潟県の令和4年10月1日現在の人口は、2,152,664人で前年同月から1.1%の減少となり、平成10年以降25年連続で人口が減少している。 人口減少問題は、喫緊の課題であり、本県においても令和4年4月に改訂した「新潟県総合計画～住んでよし、訪れてよしの新潟県～」の中で、最重要課題として挙げられている。 そこで、人口減少が新潟県に与える影響を述べた上で、その解消のためにどういった取組を行政として行うべきか、自由に意見を述べなさい。	10
岐阜県	コロナ禍において、ICTを活用したオンラインによるコミュニケーションやテレワークが普及したことなどを機に、人々の暮らしや働き方に対する意識が大きく変化し、若い世代を中心に地方移住への関心が高まっている。こうした新たな地方分散の流れに対応し、地域の活力創出につなげていくために、岐阜県として推進すべき移住・定住促進施策について、あなたの考えを述べなさい。	24
静岡県 [例題]	人口の移動について、静岡県では10歳代後半から20歳代の若年層の転出超過（転出者が転入者を上回ること。）が続いており、人口減少にも影響を与えています。この状況の原因について、どのようなことが考えられますか。 また、この転出超過の状況を改善するために、静岡県としてどのような取組が必要か、あなたの考えを論じなさい。	10 24
愛知県	本県における喫緊の課題を一つ挙げ、その理由と解決策を述べよ。	10 21
三重県	超電導リニアによって東京・大阪間を結ぶ新たな新幹線「リニア中央新幹線」の整備が進められています。東京・名古屋間は令和9（2027）年、名古屋・大阪間は最短で令和19（2037）年に開業予定です。 三重県内では、亀山市への駅設置をめざしており、「リニア中央新幹線」の早期実現による新しい未来に大きな期待が寄せられています。 今後、「リニア中央新幹線」の開業と県内駅の設置により、本県にどのような効果がもたらされるか、またその効果を最大限に発揮し、本県の発展につなげていくためには、行政として限られた予算の中で、どのような点を考慮して取組を行えば良いか、あなたの考えを論述してください。	―

都道府県	課題	該当テーマ
富山県	富山県では、関係人口 1000 万人の実現に向け、本県の良さを積極的に国内外に発信するブランディング戦略に取り組んでいるが、県としてどのようなことができると思うか、あなたの考えを述べなさい。	25
石川県	北陸新幹線の県内全線開業効果の最大化について	27
福井県	政府は、令和 5 年 2 月 10 日閣議決定された「GX 実現に向けた基本方針」において、国際公約に掲げた「2050 年カーボンニュートラル実現」を目指し、GX 推進により脱炭素とエネルギーの安定供給を両立するとともに、脱炭素分野における日本の産業競争力を強化し、経済成長を実現していく必要があると述べており、地方自治体にもその実現に向けて有効な施策を率先して実施することが求められている。 本県においても、令和 2 年に策定した「福井県長期ビジョン」において、2050 年に二酸化炭素排出を実質ゼロとする「ゼロカーボン」を掲げており、令和 5 年 5 月の組織改正では「エネルギー環境部」を新設するなど、再生可能エネルギーの導入や環境対策など、GX 推進に注力している。 ※ GX（グリーントランスフォーメーション） …産業革命以来続いてきた化石燃料中心の経済・社会、産業構造をクリーンエネルギー中心に移行させ、経済社会システム全体を変革させる取組みのこと。 (1) 本県のＧＸ推進に当たり、あなたが考える課題を具体的に一つ挙げ、その理由を述べなさい。 (2) (1)で述べた課題を踏まえ、本県における GX 推進に向けどのような施策を行うべきか、あなたの考えを具体的に述べなさい。	29
滋賀県	現在、県では、県北部地域（長浜市、高島市、米原市）の地域振興に力を入れて取り組んでいます。 あなたが滋賀県職員となり、県北部地域の振興の担当者となったと仮定し、県北部地域の現状や課題について整理したうえで、あなたが有効と考える取組を具体的に述べてください。	25
京都府	(資料あり) 令和 4 年 12 月に改定した「京都府総合計画」においては、2040 年に実現したい姿として、誰もが地域の中でいつでも気軽にスポーツに触れ親しみ、ともに楽しみながら健康に過ごし、スポーツを通じて地域が固い絆で結ばれている社会を掲げている。これを実現するため、京都府では具体方策の一つとして、府立京都スタジアムを様々なスポーツの拠点とし、スポーツの魅力を府民が身近に感じられる環境づくりを進めるとともに、音楽などの文化イベントや地域資源を活用したイベントを実施するほか、イベント・観光情報を発信するなど、周遊・にぎわいづくりを進めることとしている。 また、「京都府総合計画」においては、成人が週 1 回以上の運動・スポーツを行う割合を令和 8 年度に 70％にする数値目標を掲げているが、京都府教育委員会が令和 4 年度に実施した「京都府民のスポーツに関する実態調査」によれば、この割合は約 57％にとどまっており、気軽に親しむスポーツの更なる普及・定着が求められている。	23

都道府県	課題	該当テーマ
京都府	問1 次に掲げる資料を参考にして、京都府における気軽に親しむスポーツの普及・定着に関する課題と対応策について、400字以内で記述しなさい。 問2 地域におけるスポーツを通じたまちづくりや地域活性化のために、京都府が実施すべきとあなたが考える事業を、その事業を実施する上での課題とその解決策、期待される事業効果とともに、600字以内で記述しなさい。	23
大阪府	深刻な自然災害・異常気象など、気候変動問題への対応を背景として、カーボンニュートラル目標を表明する国・地域が増加し、世界的に脱炭素の機運が高まる中、我が国においても、2030年度の温室効果ガス49%削減、2050年カーボンニュートラル実現という国際公約を掲げており、事業活動においてもカーボンニュートラル実現の重要性が高まっている。 この国際公約を達成するためには、大企業のみならず、日本の温室効果ガス排出量の約2割程度を占める中小企業においても脱炭素化を進めていくことが必要である。 これらについて、次の(1)、(2)の問いに答えなさい。 (1) 脱炭素経営によってもたらされる中小企業側のメリットに触れつつ、中小企業がカーボンニュートラルに取り組む意義について、あなたの考えを述べなさい。 (2) 中小企業がカーボンニュートラルの取組みを進めるにあたり、行政として企業の取組み段階に応じてどのように支援できるか、あなたの考えを具体的に述べなさい。	29
兵庫県	「ChatGPT」のような文章や画像を自動的に作り出す生成AIなど、デジタル技術は急速に進歩し、人々の生活に広く活用される段階に移行しつつあります。 少子高齢化等の深刻な社会課題に対応するためには、デジタル技術を最大限に活用し、行政分野の生産性や利便性を向上させる必要があります。 こうした中、本県では、令和4年10月に「スマート兵庫戦略」を策定し、県全域でデジタル実装を加速化し、県民誰もがデジタルの恩恵を享受でき、自らのニーズに応じたサービスを選択できる「スマート兵庫」の実現に向けた取組を推進しています。 そこで、「スマート兵庫戦略」における4つの柱【I 行政のデジタル化 II 暮らしのデジタル化 III 産業のデジタル化 IV デジタル社会を支える基盤を確立】を踏まえ誰も取り残されることのない社会の実現に向けて、県としてどのような取組が必要か、あなたの考えを述べなさい。	14 36 38
奈良県 [例題]	奈良県では、20歳から64歳までの女性の就業率が全国最下位となっており、女性の働き方改革と仕事場づくりが課題となっています。 そこで、県内における女性の就業率が低い要因を整理・分析した上で、女性が就労により能力を発揮し活躍するために行政としてどのような施策に取り組むべきか、具体的に述べなさい。	02
和歌山県	近年、ワークライフバランス（仕事と生活の調和）の実現が課題となっているが、このようなことが求められる背景と、行政が取り組むべき施策について、あなたの考えを述べなさい。	01

都道府県	課題	該当テーマ
鳥取県	2023 年 5 月、新型コロナウイルス感染症の感染症法（※）上の位置付けが 5 類感染症に変更されましたが、コロナ禍によってもたらされた生活、行動、価値観等の変化や気付きを、今後どのように活かしていくことが大切か、あなたの考えを述べてください。 ※「感染症の予防及び感染症の患者に対する医療に関する法律」	―
島根県	変化が激しく先行きが不透明な昨今の社会においては、県政へのニーズも日々変化しています。島根県人材育成基本方針では、島根の状況を知り、現場に出向き、多くの人と接して話を聞いて、具体策を考え、今、一番いいことを実行することが求められています。 島根県の発展のため、どのようなことをどのような方法で実行していくことが必要か、これまでの経験や学んだことを踏まえ、あなたが受験する試験区分の職務も意識して述べなさい。	15
広島県	○ DX（デジタルトランスフォーメーション）の推進について 本県では、令和 2 年に策定した「安心・誇り・挑戦 ひろしまビジョン」において、県民が抱く不安を軽減して、「安心」につなげるとともに、県民の「誇り」につながる強みを伸ばして、安心の土台と誇りの高まりにより、県内のどこに住んでいても、県民一人一人が夢や希望に「挑戦」できる社会を目指しており、その実現に向けた全ての施策を貫く視点の一つとして、「経済成長と人口減少社会の課題解消を目指す DX の推進」を掲げています。 DX を推進することで広島県内に起こすことができる変化を述べた上で、特に広島県として取り組むべき施策について、あなたの考えを述べなさい。 ※「DX（デジタルトランスフォーメーション）」とはデジタル技術を活用して、生活に関わるあらゆる分野（仕事、暮らし、地域社会、行政）において、ビジネスモデル、オペレーション、組織、文化などの在り方に変革を起こすこと。	36
徳島県	地域交通は、高齢者や学生、さらには旅行者の移動手段として必要なものであるが、人口減少による需要減等に加え、コロナ禍の影響で一層大きく疲弊し、存続が懸念されている。 持続可能な地域交通を確保するためには、最新技術の活用や、官民間、事業者間、交通・他分野間における連携や協働した取組により、対応することが重要であると考えられる。 地域交通の衰退が地域にもたらす影響について述べるとともに、人口減少地域を含め、誰もが利用できる地域の移動手段を確保するには、どのような取組が必要か、あなたの考えを述べなさい。	27
香川県	新型コロナウイルス感染症の拡大は、地域に様々な課題を与えた一方、これを契機として社会経済システムの変革が促進されつつある。 今後、香川県の持続的な発展に向けて、県としてどのような取組みを進めていくべきか、あなたの考えるところを述べなさい。	10
愛媛県	・オール愛媛で取り組むべき少子化対策について ・若者をひきつけ住み続けたいと思う愛媛づくりについて（いずれか 1 題を出題）	03 10

都道府県	課題	該当テーマ
高知県	国は、過疎化や高齢化といった地方の課題を、デジタルを実装することで解決する「デジタル田園都市国家構想」の実現に向け、同構想の基本方針を策定しました。 これを踏まえ、高知県デジタル化推進計画において、生活・産業・行政の3つの切り口で将来イメージを描き、「デジタル化の恩恵により、暮らしや働き方が一変する社会」の実現を目指して、施策を行っています。 そこで、高知県が抱えるさまざまな課題を解決し地域の活性化につなげていくために、デジタル化の取組をどのように進めていく必要があると思いますか。高知県が抱える課題を具体的に挙げながら、あなたの考えを述べてください。	36
福岡県	【課題1】福岡県では、「世界から選ばれる福岡県の実現」に向けて、海外からの誘客促進に取り組んでいるところです。 本県における外国人の延べ宿泊者数は、2019年は前年比26.6％増の426万人となり、堅調に増加していましたが、新型コロナウイルス感染症の拡大に伴う海外からの入国制限等の影響により、2020年は前年比85.4％減の62万人、2021年は前年比83.3％減の10万人と激減しました。 こうした中、本年4月に海外からの入国者の水際対策が廃止されたことに伴い、激減した観光客を取り戻すことが喫緊の課題となっています。 そこで、県内の都市部・地方部を問わず、福岡県を訪れる外国人旅行者を増やし、あわせて旅行消費額を拡大するために、県としてどのような戦略を立て、具体的にどのように取り組んでいくべきか、あなたの考えを述べなさい。 【課題2】近年、全国的に、人口減少や少子高齢化等による担い手不足、個人の価値観の多様化、新型コロナウイルス感染症の感染拡大などによって、都市部だけでなく地方部おいても地域コミュニティ（※）の持つ自治機能が低下しています。 福岡県においても、地域コミュニティにおける地縁的共同体意識が希薄化し、地域まとまりの力が弱体化することなどにより、今まで地域で解決できていたことへの対が困難となっています。 そこで、地域コミュニティの持つ自治機能が低下することにより生じる問題を述べた上で、その問題を解決するため、行政としてどのような取組を行えばよいか、あなたの考えを述べなさい。 ※地域コミュニティ 　自治会（町内会）、子ども会、地区防犯組織、消防団など、共通の生活地域において何らかの共通の属性及び仲間意識を持ち、相互にコミュニケーションを行っているような集団を指す。	21 35
佐賀県	佐賀県では、様々な行政課題の解決に取り組んでいるところです。あなたが解決したい行政課題を挙げ、その解決のためにどのような取組が必要か述べなさい。	10 21 など

都道府県	課題	該当テーマ
長崎県	本県では、子どもたちへの投資を未来への投資と捉えたうえで、本県の将来を担う子どもたちが安全・安心に健やかに成長し、その能力と可能性を高めることを積極的に支援して、社会での多様な活躍につなげていくため、「子ども施策」を県政の基軸に位置付けることとし、結婚、妊娠・出産から子育てまでの切れ目のない支援や教育環境の整備など様々な施策に取り組んでいます。 長崎県の子どもたちが、夢や希望を持って健やかに成長できる社会の実現に向けて、県としてどのような取り組みを一層進めていくべきか、あなたの考えを述べなさい。	03
熊本県	本年5月8日から新型コロナウイルス感染症の感染症法上の位置づけが5類感染症となり、様々な制限が緩和されている。コロナ禍によって働き方や消費行動等に変化が生じ、多様な価値観や新たな生活様式が定着しつつある中、今後の新たな社会の実現に向け、本県としてどのような取組みを進めるべきか、あなたの考えを述べなさい。	—
大分県	令和5年5月8日より、新型コロナウィルス感染症の感染症法上の位置づけが5類へと移行し、県としても引き続き感染対策を実施しつつ、社会経済の再活性化に全力を挙げて取り組んでいるところです。 今後、社会経済の再活性化を更に進めていく上でどのような課題があり、その課題解決に向けて必要な取組は何か、あなたの考えを述べなさい。	25 35
宮崎県	近年、新型コロナウイルス感染症への対応など、行政はこれまで以上に前例にとらわれない柔軟な発想で施策を推進することが求められています。 そこで、あなたが考える本県の20年後のあるべき姿を述べた上で、それを実現するためにどのような取組を重点的に行っていくべきか、自由な発想で提案しなさい。 また、その実現に当たり、自身の強みをどのように活かしたいか具体的に述べなさい。	24 25 35
鹿児島県	本県の令和3年の出生数は11,618人であり、平成13年の15,943人と比較すると20年で30%近く減少している。本県における少子化による課題を2つ以上あげ、それぞれの解決のために県として具体的にどのような取組が必要か、あなたの考えを述べなさい。	03
沖縄県	これからの沖縄観光について	35

政令市	課題	該当テーマ
仙台市	近年、SDGs への関心が高まる中、環境に配慮した取り組みをより一層進めていくために、行政が果たすべき役割について、あなたの考えを論じなさい。	33
さいたま市	自治体戦略 2040 構想研究会の報告書（総務省）において、自治体が住民サービスを継続的、かつ、安定的に提供していくためには、AI やロボティクスに任せられる事務作業はすべて任せ、職員は職員にしかできない業務に特化することが必要とされています。あなたの考える「AI 等に任せられる事務作業」及び「職員にしかできない業務」とはどのようなものか述べたうえで、あなたが職員として貢献できることを述べなさい。	38
千葉市	大規模な自然災害や感染症の流行等が発生した際は、真偽が定かでない様々な情報が SNS 等を通じて拡散される場合があります。このようなことが発生する背景に触れながら、どのような点が問題なのかを述べなさい。また、千葉市としてどのような対策を講じるべきか、あなたの考えを述べなさい。	39
横浜市	近年、気候変動に伴う風水害等の激甚・頻発化や、多くの被害が想定される大規模地震発生の切迫など、自然災害に対するリスクは年々高まっています。こうした状況の中でも、持続可能な都市として発展し続けるため、横浜市では災害から人命と社会経済活動を守る安全な都市の実現に向けて、地域防災力の向上など防災・減災と強靱化の取組を総合的・継続的に進めています。 市民一人ひとりに「自らの命は自らで守る」防災意識の浸透を図るための取組を進めるため、横浜市職員としてどのように取り組んでいきたいか、あなたの考えを述べなさい。	32
川崎市	川崎市では、令和 2（2020）年に策定した脱炭素戦略「かわさきカーボンゼロチャレンジ 2050」及び令和 4（2022）年に改定した「川崎市地球温暖化対策推進基本計画」に基づき、令和 32（2050）年の脱炭素社会の実現に向けて、再生可能エネルギーの導入やエネルギーの最適利用の推進、次世代自動車等の普及促進、グリーンイノベーション推進など、市民・事業者などの多様な主体との協働により、地球温暖化の原因となる二酸化炭素等の排出量削減に向けた取組（緩和策）を進めています。 今後、脱炭素化の取組を一層加速化させるためには、どのような取組を行えばよいか、川崎市が持つ地域資源、地域特性などを踏まえながら、具体的な取組について提案してください。	29
新潟市	新潟市総合計画 2030 の重点戦略のうち、「子どもと子育てにやさしいまちづくりと新潟の将来を担う人材の育成」を実現するために、求められる行政の役割について、あなたの考えを述べなさい。	03
名古屋市	南海トラフを震源とする大規模な地震の発生確率が、今後 30 年間で 70 から 80％と切迫度を増しています。また、近年では全国的に豪雨の発生回数が増加しており、洪水や高潮による浸水被害も懸念されています。 そこで、本市がより一層自然災害に強いまちになっていくための備えとして、どういった施策に取り組むべきか。あなたの考える「自然災害に強いまち」を述べ、本市の現状と課題について論じたうえで、それを解決するための施策を具体的に述べてください。	32

政令市	課題	該当テーマ
京都市	直近5年間であなたが最もストレスを感じた出来事と、その出来事にどのように対応したか、具体的に述べてください。	―
大阪市 [例題]	大阪市は、誰もがいつまでも住み続けたい「にぎやかで活気あふれるまち大阪」をめざして市政運営に取り組んでいます。特に、大阪の未来を担う子ども、またその子どもを育てる世帯に重点投資をし、将来にわたり大阪が発展する土台作りを着実に進めることを重視しています。 大阪の未来を担う子ども、またその子どもを育てる世代が暮らしやすいと思うまちとはどういったものか、また、それを実現するための具体策をあげ、あなたの考えを述べなさい。	03 04
堺市	全国的に人口減少・高齢化への対策が課題となっている。堺市においても、将来にわたり成長・発展し、持続可能な都市経営を実現するためには人口減少対策が欠かせず、特に子育て世代の定住・流入促進は喫緊の課題である。この課題に対し、堺市はどのような取組を行う必要があるか、あなたの考えを800字以内で述べなさい。	03 24
神戸市 [例題]	生物多様性は、人間社会の持続可能性の維持に欠かせないものですが、人々の経済活動による開発に伴う植物の伐採や、気候変動、外来種の侵入等で生態系バランスが壊れ、本来の豊かさが失われてしまう例も少なくありません。このうち、外来種（外来生物）の問題について、あなたの考えを述べてください。	―
広島市	・少子高齢化や人口減少が進む中で生じる課題を一つ挙げ、その課題に対して広島市としてどのような取組を行うことが有効か、あなたの意見を述べよ。 ・あなたの試験区分に関する分野において、行政が今後取り組むべき課題とその対応策について、「技術革新」という用語を用いてあなたの考えを述べよ。	10 36
北九州市	本年2月、北九州市は市制発足から60年という節目を迎えた。北九州市には、ものづくりの街として蓄積した技術・ノウハウと、産業発展の中で発生した公害の克服など幾多の困難を乗り越えてきた経験がある。 さらに、本州と九州との結節点に位置し、アジアへも近いといった地理的優位性や、都市部と海山等の自然が近接しているといった、安心安全で住みやすい環境がある。 そこで、北九州市が持つ技術・ノウハウや経験、地理的条件や環境等を踏まえ、あなたが考える北九州市の将来目指すべき姿を挙げ、その実現に向けて、どのような施策を展開していくべきか、解決すべき課題とともに具体的に述べなさい。	20 29
福岡市	近年、ChatGPTなど、文章や画像を自動的に作成する生成AIは進化を続け、自治体においても、その活用やルールづくりについて検討されています。 生成AIの可能性とリスクを踏まえ、行政における活用について、あなたの考えを述べなさい。	38
熊本市	社会環境が急激に変化する中、本市においては様々な課題が山積していますが、その中であなたが最優先で取り組むべきと考える課題とその理由、その課題に対してどのようなことに取り組むべきか、1,200字以内で述べなさい。	10 32

Staff

編集	編集アシスト
田中　葵	中川　有希
ブックデザイン・カバーデザイン	イラスト
越郷拓也	YAGI

エクシア出版の正誤情報は、こちらに掲載しております。

https://exia-pub.co.jp/

未確認の誤植を発見された場合は、下記までご一報ください。

info@exia-pub.co.jp

ご協力お願いいたします。

※本書に記載されているURL・施策名等は、2024年9月現在のものです。

著者プロフィール

寺本康之

埼玉県立春日部高等学校卒業、青山学院大学文学部
フランス文学科卒業、青山学院大学大学院法学研究
科中退。全国の学内講座で講師を務める。大学院生の
ころから講師をはじめ、現在は法律科目（憲法、民法、
行政法など）や行政科目、社会科学、人文科学、小論
文、面接指導など幅広く講義を担当している。

寺本康之の小論文バイブル 2026

2024年11月14日　初版第1刷発行

著　者：寺本康之
　　　　©Yasuyuki Teramoto 2024 Printed in Japan

発行者：畑中敦子

発行所：株式会社 エクシア出版
　　　　〒101-0054　東京都千代田区神田錦町2-1-5

印刷・製本：モリモト印刷株式会社

ISBN 978-4-910884-19-6　C1030

EX STUDY
ONLINE LECTURE AND e-LEARNING

公務員 合格講座

**全国の学内講座で人気の講義が
EX-STUDYで受けられる！
専門試験の主要科目・憲法 / 行政法 / 民法
を寺本講師が担当！**

論文対策は、寺本講師厳選の予想テーマで答案練習！

独自の添削指導システムでライバルに差をつける！

コース内容等、詳しくはこちら
エクスタディ公式ホームページ https://ex-study.jp/

EX STUDY エクスタディ公務員合格講座

STUDY エクスタディ公務員合格講座

⭐ 数的処理がスゴイ！

「ザ・ベスト」シリーズでお馴染み
の畑中敦子講師が講義を担当！

数的処理の得点が教養試験攻略のカギ！数学が苦手な人もしっかりサポートします！
「算数・数学の基礎」からスタートし、インプット講座で解法パターンを習得、アウトプット
講座で本番の戦い方を学びます。

⭐ 論文・面接指導がスゴイ！

『小論文バイブル』の寺本康之
講師が論文指導を担当！

論文対策は、寺本講師厳選の予想テーマで答案練習！
独自の添削指導システムでライバルに差をつける！
面接対策は、入塾困難で話題の松村塾とコラボ！
1対1のカウンセリングであなたのPRポイントを引き出す！

松村塾代表の松邑和敏
講師が面接指導を担当！

⭐ 講師がスゴイ！

公務員試験を知り尽くした
レジェンド集団！

全国の学内講座で大人気！	「ザ・ベスト」シリーズでお馴染み！	難解な経済科目を易しく解説！	受験生目線に立ったアツい講義が人気！	入塾困難の松村塾代表が面接指導！
寺本康之講師	**畑中敦子**講師	**高橋義憲**講師	**柴﨑直孝**講師	**松邑和敏**講師
担当科目:憲法/民法Ⅰ・Ⅱ/行政法/政治学/行政学/社会学/社会科学/人文科学/時事/論文対策	担当科目:数的推理	担当科目:ミクロ経済学/マクロ経済学/財政学/経済事情・経済史/会計学	担当科目:算数・数学の基礎/判断推理/資料解釈/自然科学	担当科目:面接対策

お問合せ / 受講相談

EX-STUDY（エクスタディ）に関するお問合せや受講に関する
ご相談は、以下いずれかの方法でお気軽にどうぞ！

❶ ホームページの
お問合せフォーム
➡ https://ex-study.jp/inquiry

❷ LINE公式アカウント
➡ @390yxuje

❸ メール
➡ exstudy@exia-pub.co.jp

❹ お電話
➡ 03-5825-4620
（月〜金曜日10:00〜17:00〈祝日を除く〉）

ご希望によって、Zoomによるオンライン相談も可能です。
まず、上記❶〜❹いずれかよりご連絡ください。

 STUDY https://ex-study.jp/